SÉRIE TENTATION.
Quand la passion bouleverse une vie...

Notre nouvelle série...

Des héroïnes adultes, responsables,
qui acceptent leur sensualité comme
une réalité profonde.

Des héros attachants, séduisants,
qui savent aimer, et comprendre, aussi.

Des aventures authentiques,
au long desquelles hommes et femmes
luttent pour obtenir le bonheur.

Et le bonheur, c'est l'amour, bien sûr,
la douceur de deux mains enlacées,
l'infinie tendresse d'un sourire partagé,
le frisson de deux corps vibrant
l'un contre l'autre.

Lynn Turner

TON CORPS RETROUVÉ

HARLEQUIN

Cet ouvrage a été publié en langue anglaise
sous le titre :

FOR NOW, FOR ALWAYS

Originally published by
Harlequin Books, Toronto, Canada

© 1984, Lynn Turner
© 1984, Traduction française, Édimail S.A.
53, avenue Victor-Hugo, Paris XVIe — Tél. 500.65.00
ISBN 2-280-12008-9

CHAPITRE PREMIER

LACEY HARTMANN posa
soudain le document qu'elle consultait et regarda sa
petite montre en or.

— Mon Dieu ! murmura-t-elle en se levant brusquement.

Ramassant son sac, elle se précipita vers la porte.

— J'ai failli oublier le football des garçons, dit-
elle en passant aux deux femmes qui travaillaient
dans l'entrée.

La plus âgée, Ellen, l'assura qu'elle s'occuperait
de tout en son absence et Lacey, rassurée, sortit d'un
pas pressé.

Dix minutes plus tard son Audi remontait l'allée
qui menait à une maison de trois étages en brique et
en bois, dans un quartier résidentiel très calme.
Avant que la voiture ne s'arrête complètement, deux
enfants jaillirent du bâtiment.

— Nous allons encore être en retard, grommela
Todd en s'installant sur la banquette arrière.

— Cinq minutes de retard, ce n'est pas la mer à
boire, répondit son jumeau, Scott, en s'asseyant près
de sa mère en souriant.

Les garçons avaient sept ans. Todd était querel-
leur, Scott épris de paix et de calme.

— Les autres sont toujours à l'heure, bougonna Todd.

— Oui, mais leurs mères ne travaillent pas, répliqua son frère.

— C'est vrai, admit Todd. Notre mère est une femme d'affaires.

Lacey faillit éclater de rire.

— La femme d'affaires va devoir regagner son bureau aussitôt après vous avoir déposés à l'entraînement. J'espère que vous avez goûté et que vous tiendrez jusqu'au dîner. Je risque de rentrer tard.

— Mme Moore nous a donné des sandwiches et du lait, dit Scott.

— Avec du ketchup et de la mayonnaise, précisa Todd.

— Et des cornichons.

— Et une glace au chocolat pour terminer !

— Mais vous allez avoir une indigestion !

Tous trois se mirent à rire.

Lorsqu'ils arrivèrent près de la pelouse d'entraînement, Lacey descendit de la voiture pour demander à Paul Rossi à quelle heure elle devait passer récupérer les garçons. Il faisait encore son grand numéro à l'intention des enfants, jonglant avec le ballon, le laissant rebondir sur sa tête, ses genoux, le cou-de-pied et même les talons. Lorsqu'il décida que la démonstration avait assez duré, il mit le ballon sous son bras et se tourna vers Lacey en la gratifiant d'un sourire enfantin.

— Avez-vous appris ces tours en Italie ou en Argentine ? demanda Lacey qui connaissait ses points faibles.

Prenant un air modeste, Paul s'approcha d'elle, nonchalant. C'était un athlète-né, mince, fin, solide, à la démarche sautillante et nerveuse. Si Lacey avait été à la recherche d'une liaison facile, il lui aurait suffi de lever le petit doigt. Mais ce n'était pas le cas.

Paul stoppa à un mètre d'elle et la dévisagea sans

se gêner. Il avait trente ans, deux ans de plus que
Lacey. Ingénieur, il était arrivé un jour, via l'Argentine, de son Italie natale. C'était un homme ouvert
et chaleureux, charmant et simple, d'un abord facile,
grand amateur du sexe faible. Son corps était lisse et
musclé. Sa chevelure noire et bouclée, ses yeux
bruns, son nez droit et classique et sa bouche
sensuelle lui donnaient des allures de pâtre grec.

A le voir, il était facile de deviner que ce devait
être un amant tendre et expérimenté, dépourvu
d'égoïsme, donnant autant qu'il recevait. Un instant
elle fut tentée par l'invitation muette et subtile
qu'elle lisait dans ses yeux depuis de longs mois.
Mais un instant seulement.

— Dans ces deux pays, répondit-il enfin. Je joue
au football depuis mon enfance et la compagnie pour
qui je travaillais en Argentine possédait une excellente équipe. C'est là-bas que j'ai vraiment pro-
gressé.

Son accent ajoutait encore à son charme, et il le
savait, l'exagérant même un peu. Lacey avait noté
qu'il devenait plus prononcé lorsqu'il s'adressait à
une jolie femme. C'en était parfois comique.
Curieusement, cependant, et bien qu'il ne manque
jamais une occasion de lui faire la cour, Paul le
perdait totalement quand il lui parlait. C'était, elle le
savait, parce qu'il respectait trop son intelligence.
D'ailleurs, Lacey le lui rendait bien. Elle n'avait
jamais connu, à une exception près, un homme aussi
brillant.

— Vous n'assisterez pas à l'entraînement, aujour-
d'hui ? demanda-t-il d'un ton désappointé.

Lacey secoua la tête.

— C'est impossible. J'ai beaucoup trop de travail.
Quand dois-je passer reprendre les garçons ?

— Nous aurons fini vers cinq heures trente. Si
c'est plus tôt, je les déposerai à votre bureau.

— Ce serait très gentil de votre part, Paul.

Il lui lança son sourire numéro Un.

— Si je suis gentil avec vous, *cara*, puis-je
espérer...

Lacey ne sut jamais ce qu'il allait lui proposer. Un
de ses fils, ballon au pied, passa brusquement entre
eux, lui coupant la parole.

— On dirait que l'entraînement a commencé sans
vous, monsieur l'entraîneur, dit-elle en riant.

— S'ils pouvaient courir aussi vite pendant un
match ! s'écria-t-il en attrapant le gamin par le bras
et en le faisant pivoter pour lire le nom inscrit sur le
dos du tee-shirt, seul moyen de distinguer un jumeau
de l'autre. Mon petit Scott, puisque tu te sens des
ailes, tu joueras avant-centre aujourd'hui.

L'enfant lui jeta un regard narquois et Lacey se
mit à rire.

— Ils ont échangé leurs maillots. C'est Todd.

Paul hocha la tête, pendant que le garçon s'en
allait en ricanant.

— Vivre avec eux doit conduire à une confusion
totale. Comment arrivez-vous à les reconnaître ?

— C'est moi qui les ai faits, répondit-elle simplement.

Devant sa mine ébahie, elle ajouta, un rien
ironique :

— Je suis toujours capable de reconnaître ce qui
est mien de ce qui ne l'est pas.

— Toujours ? demanda-t-il doucement.

— Toujours ! Il faut que j'y aille, Paul. A plus
tard !

Il était impossible de distinguer les jumeaux l'un
de l'autre, sauf pour Lacey et Mme Moore, la voisine
qui les gardait dans la journée. Même leurs profes-
seurs ne savaient qui était qui. Mais dès la naissance
chacun avait possédé une personnalité bien à lui.
Pour Lacey, ils étaient un peu comme les deux faces
d'une même pièce de monnaie, identiques et diffé-

rentes. Mais il arrivait aussi qu'ils se fondent en un tout, se complétant alors à la perfection.

Physiquement ils étaient tellement semblables que leur propre pédiatre arrivait à les confondre. Cheveux soyeux et noirs, presque aile de corbeau, grands yeux ronds couleur cuivre foncé, ils étaient encore petits pour leur âge, comme le sont souvent les jumeaux. Mais malgré leurs frêles statures ils étaient beaucoup plus mûrs que leurs camarades, plus solides aussi. A sept ans, ils nageaient déjà pour leur club, et leur manière de jouer au football était plus que prometteuse.

Paul, plus d'une fois, lui avait parlé de leur façon de se tenir sur un terrain, un peu comme s'ils avaient possédé une sorte de sixième sens. Où que soit l'un, il savait sans regarder où était l'autre. Lacey avait souri. Ceci n'était pas nouveau pour elle.

Paul aimait beaucoup les garçons. Mais il se servait de cette amitié pour se rapprocher de Lacey, ce qu'elle ne trouvait pas très élégant. En se garant dans le parking du bureau, elle esquissa une grimace en se souvenant d'une réflexion que Paul avait faite la semaine précédente, lorsqu'elle était revenue avec les enfants d'un week-end en Floride. Les voyant tellement bronzés, il lui avait demandé s'ils n'avaient pas un peu de sang italien dans les veines.

Lacey avait souri et répondu non, mais cela l'avait secrètement mise mal à l'aise, lui rappelant leur père. Neil avait trente-cinq ans lorsqu'elle l'avait rencontré. Il dirigeait sa propre entreprise pharmaceutique et possédait une assurance proche de l'arrogance. Industriel efficace et sans pitié, il ne parlait jamais de son passé. D'autres avaient renseigné Lacey, lui racontant son enfance malheureuse, la perte, tout jeune, de ses parents, les orphelinats où il avait passé son adolescence...

Lacey ne pensait plus à lui depuis des mois. Bien sûr, en voyant les jumeaux, il lui arrivait d'avoir

encore mal. Ils lui ressemblaient tant ! De véritables
copies en miniature de leur père sans même le
savoir. Mais la plupart du temps Lacey était si
occupée par sa nouvelle vie qu'elle en oubliait le
passé. Elle était fière de cette existence qu'elle avait
bâtie seule, par la seule force de son travail. Peu
d'hommes ou de femmes pouvaient se vanter d'avoir
aussi bien réussi.

Avant d'épouser Neil Hartmann, Lacey avait
mené une vie sans problèmes. Fille unique, elle avait
été très gâtée. Aussi, lorsque ses parents refusèrent
de donner sa main à Neil, elle en resta stupéfaite.
Son père lui avait objecté que Neil était beaucoup
trop âgé pour elle, que leurs origines étaient trop
différentes, qu'une fois mariée avec lui, elle serait
obligée de côtoyer un monde qu'elle ignorait. Sans
succès. A dix-huit ans, ces restrictions, loin de la
décourager, n'avaient contribué qu'à renforcer sa
volonté.

Les premières semaines qu'ils avaient passées
ensemble avaient été merveilleuses. Un véritable
paradis ! Mais elle n'avait pas tardé à redescendre
sur terre. Neil n'était jamais à la maison, et lorsqu'il
y était, il refusait obstinément de lui parler de ses
affaires ou de tout autre sujet. Il la traitait comme
une enfant, pis, comme une poupée que l'on habille
joliment pour la montrer à ses relations. Il était fier
de sa beauté mais ne semblait pas concerné par son
esprit ou ses sentiments. Très possessif, il devenait
sombre dès qu'elle s'adressait à un autre homme à
l'occasion de leurs sorties.

Lacey avait tout essayé pour qu'il la considère
comme une égale. En vain. Graduellement elle
s'était isolée. Bientôt, il n'y eut plus que de l'amour
physique entre eux, mais elle s'en lassa également.
La froideur dont Neil faisait montre envers elle
gâchait cela aussi. C'était pourtant un amant magni-
fique, mais le cœur et le corps n'y étaient plus.

Pendant deux ans ils vécurent comme des étrangers sous le même toit, ne communiquant que dans la tiède obscurité de leur chambre où il était encore capable de la rendre folle de plaisir. Pourtant, même à ce moment-là, il ne lui parlait pas, se contentant de lui indiquer par geste ce qu'il désirait d'elle.

Puis, une horrible nuit, il y avait huit ans environ de cela, il avait brutalement et sauvagement détruit le peu de sentiments qu'il lui inspirait encore.

Ellen et Vi riaient lorsque Lacey pénétra dans l'antichambre du bureau, encore maussade d'avoir repensé au passé. Devant son air interrogatif, Vi s'expliqua :

— Le vieux M. Sawyer vient de téléphoner. Il veut que nous assurions son chien contre la stérilité !

Le regard de Lacey alla de l'une à l'autre et elle sourit. Sawyer avait lu dans un journal, quelques mois plus tôt, que ce genre d'assurance existait, et il avait alors demandé à Lacey, qui dirigeait un cabinet d'assurances couplé à une agence immobilière, de lui assurer son taureau reproducteur et un étalon de grand prix.

— Il voudra bientôt assurer les coqs de sa basse-cour ! explosa Ellen.

— Du moment qu'il ne réclame pas que nous l'assurions lui-même, soupira Lacey en se dirigeant vers son bureau.

— A son âge ! s'écria Vi. Mais pour le chien ? Qu'allons-nous faire ?

— Je vais vérifier. Si ce genre de contrat est valable pour un taureau ou un cheval, pourquoi ne le serait-il pas pour un chien ?

Ellen la suivit, un bloc à la main.

— J'allais oublier. Nous avons reçu un coup de fil concernant la propriété des Miller.

La surprise se peignit sur les traits de Lacey.

— J'espère que ce n'est pas une plaisanterie. Quelqu'un que nous connaissons ?

— Non, mais un homme qui semblait connaître les lieux. Il a demandé s'il s'agissait bien de la ferme des Miller, près de Claypool Road. Lorsque je lui ai dit que nos vendeurs étaient absents, il a répondu qu'il irait jeter un coup d'œil tout seul.

— Il n'achètera jamais, c'est dans un tel état !

— C'est peut-être un bricoleur.

Ellen tendit une feuille de papier à Lacey et se dirigea vers la porte.

— Ne trouvez-vous pas que c'est bon signe ? Notre homme porte le même nom que vous.

Lacey n'eut pas la force de répondre. Elle venait de lire ce qu'avait écrit Ellen. Neil Hartmann !

Elle se mit à trembler. Ce n'était pas possible ! Pas après tant d'années.

Au début, terrifiée à l'idée que son mari la pourchasse, elle avait utilisé le nom de jeune fille de sa mère, jusqu'à ce que celle-ci meure dans un accident, avec son père.

Découvrant qu'elle était enceinte, Lacey était partie alors pour Saint-Louis, sans un sou en poche. Là, Neil ne connaissait personne et elle pourrait se perdre dans la foule. Plus tard, elle avait choisi de vivre dans cette petite ville du sud de l'Illinois. Le dernier endroit où il s'aviserait de la chercher. Sa ville natale qu'il avait quittée à dix-huit ans pour conquérir un monde qu'il contemplait déjà d'un œil cynique ! Il y avait été si malheureux qu'elle était certaine qu'il n'y reviendrait jamais. Quelle erreur !

Un instant, elle se refusa à y croire. Ce ne pouvait être le même Neil Hartmann, le monde devait foisonner d'hommes portant ce nom. Mais une petite voix intérieure lui murmurait qu'il ne pouvait s'agir d'un autre...

Lacey soupira. Elle avait toujours su que ce moment arriverait. Partagée entre la peur et le soulagement, elle se dit qu'inévitablement elle allait devoir l'affronter, revivre le passé. Mais maintenant elle serait en position de force. Elle n'était plus l'être fragile qu'il avait dépouillé de tout... fierté, assurance, foyer et réputation, celle qu'il avait jetée à la rue avec les vêtements qu'elle portait, deux cent cinquante dollars et une poignée de cartes de crédit qu'elle n'oserait pas utiliser, ce qu'il n'ignorait pas.

Elle fit le tour du bureau des yeux et sourit, rassurée. Grâce à ses efforts, elle avait regagné sa propre estime, et il ne pourrait plus jamais la lui retirer. Elle posa lentement la feuille de papier sur sa table. Ce n'était qu'une question de temps. Neil allait bientôt se présenter devant elle. Mais elle serait prête.

Cela se produisit plus vite que prévu, après qu'Ellen et Vi furent parties.

— Y a-t-il quelqu'un ?

Lacey, qui depuis une heure avait plus ou moins réussi à oublier Neil en se plongeant dans un dossier compliqué, en laissa tomber le feuillet qu'elle lisait. Le son de sa voix la paniqua, elle se mit à trembler, au bord de la nausée. Vite, pourtant, elle se reprit. Se levant, elle respira profondément et se dirigea d'un pas décidé vers l'entrée. Après tout, Neil n'avait plus le pouvoir de la blesser.

Neil lui tournait le dos, comparant sa montre à la pendule murale, silhouette encore anonyme. Entendant les pas de Lacey, il se retourna et leurs regards se croisèrent.

Lacey stoppa net, stupéfaite. Il semblait être plus vieux de vingt ans, au lieu de huit. L'épaisse chevelure sombre dont elle se souvenait était maintenant parsemée de quelques fils argentés, des rides profondes couraient de son nez aux coins de sa bouche et barraient son front, au-dessus de ses sourcils broussailleux. Lacey nota que ceux-ci étaient toujours aussi noirs. Neil était plus mince, il

avait bien dû perdre dix kilos. Sa peau, autrefois
bronzée, était étrangement pâle. La jeune femme
réalisa brusquement qu'il devait être en mauvaise
santé. Neil malade ! Lui qui refusait même d'admettre qu'il pouvait avoir une migraine.

Il la fixa un long moment, incrédule, et Lacey
s'aperçut que cette rencontre n'avait pas été arran-
gée, que c'était un choc terrible pour lui.

— Lacey ? finit-il par murmurer d'une voix hési-
tante.

Elle se força à sourire d'un air froid.

— Bonjour, Neil.

Voilà, le moment tant redouté était arrivé, et elle
n'avait plus peur de lui.

— Veux-tu passer dans mon bureau, s'il te plaît ?

Neil ne bougea pas immédiatement. Il semblait
paralysé par la surprise. Le cœur de Lacey se gonfla
d'une assurance inhabituelle. Il fallait vite en profiter avant qu'il ne retourne la situation.

— Veux-tu un peu de café ? dit-elle en regagnant
son bureau, sans même regarder s'il la suivait.

Elle emplit deux tasses sans que ses mains trem-
blent, performance dont elle se serait crue incapable
quelques minutes plus tôt. Neil l'avait suivie et se
tenait près d'elle, silencieux, immobile. Bien qu'il
fût trop proche pour que Lacey se sente tout à fait à
son aise elle résista à l'envie de s'éloigner précipitamment et lui tendit une tasse d'un air détaché.

Après avoir hésité, Neil la prit d'un geste mal
assuré et elle étouffa un soupir de soulagement.
Mais comme elle s'apprêtait à faire le tour de sa
table pour s'y installer, il la retint par le bras.

Ils se firent face. Lacey portait de hauts talons,
mais Neil la dépassait tout de même de toute sa
carrure. Levant les yeux, elle lut dans son regard une
grande confusion. Il ne semblait pas croire encore à
cette rencontre, à la réalité de sa présence devant
lui. Elle se dégagea doucement et passa derrière le

bureau, soulagée d'avoir rompu ce contact qui, un instant, lui avait rappelé de trop mauvais souvenirs.

— J'ai cru comprendre que tu t'intéressais à la ferme des Miller, déclara-t-elle d'un ton poli en s'asseyant.

— Ainsi, tu savais que j'étais ici.

Ce n'était pas une réponse, mais beaucoup plus une constatation, presque une accusation. Il se laissa tomber dans un des fauteuils face au bureau et lui lança un regard de défi.

— Une de mes secrétaires m'a parlé de ton coup de fil cet après-midi, répondit-elle d'un ton froid.

— Une de tes secrétaires ?

— Oui. J'en ai deux. Je suis la propriétaire de cette agence.

La surprise qu'il ne put cacher lui procura un grand plaisir. D'autant qu'elle semblait mêlée à une sorte de respect. Lacey s'efforça de rester impassible pendant qu'il la scrutait. Combien de fois, dans le passé, l'avait-il ainsi observée de ce regard froid ? Mais aujourd'hui, elle ne se sentait plus intimidée. Lentement, elle prit sa tasse et but une gorgée.

Neil, s'attendant sans doute à ce qu'elle tremble, en fut pour ses frais. Il finit par sourire.

— Je vois, dit-il. Tu as vécu ici tout ce temps ?

— Presque. Six ans. Je croyais que tu étais ici pour discuter l'achat de la propriété des Miller.

Son comportement distant l'irritait. Elle vit ses yeux briller d'un éclat menaçant et sa bouche se serrer. Il posa si brusquement la tasse sur le bureau qu'elle crut qu'il l'avait brisée.

— Oublions la ferme des Miller ! s'écria-t-il d'un ton excédé.

Cette transformation brutale n'étonna pas Lacey. Elle s'y attendait depuis le début de leur conversation. Elle se leva, toujours très calme.

— Je ne pensais pas que cette ferme puisse t'intéresser. En vérité, elle est loin de correspondre à tes goûts. Veux-tu voir dans nos registres les photos des autres propriétés que j'ai en porte-feuille ?

D'un bond, Neil fut de l'autre côté de la table et lui prit le bras, enfonçant profondément les doigts dans sa chair.

— Comment peux-tu rester aussi calme et me parler comme si j'étais un client ordinaire ? tonna-t-il.

— Parce que c'est tout ce que tu es, répondit-elle d'une voix calme, sans baisser les yeux.

La pression de sa main se fit plus forte.

— Lacey, pour l'amour de Dieu...

Sa voix tremblait. Il pencha la tête vers la sienne. Lacey, affolée, se dégagea d'un mouvement brusque.

— Ne me touche pas, Neil ! Ne me touche plus jamais !

— Bon, bon. Pourquoi es-tu venue ici, Lacey ?

— Parce que je pensais que c'était le dernier endroit où tu viendrais me chercher.

Il devint livide et soupira.

— Il faut que nous parlions.

— Nous n'avons rien à nous dire. Rien, Neil ! J'ignore pourquoi tu es revenu et cela ne m'intéresse pas. Mais je sais bien que je n'y suis pour rien.

Il grimaça un sourire mal assuré.

— Mais maintenant que je t'ai revue...

— Non ! Le fait que nous nous soyons rencontrés par hasard au bout de huit années ne te donne aucun droit !

Il lui fallait faire un effort terrible pour ne pas élever la voix. Le souvenir de la manière dont Neil pouvait se montrer violent était encore assez fort dans sa mémoire pour l'obliger à garder un minimum de sang-froid.

— Si j'avais deviné que tu vivais ici, je serais venu plus tôt.

— C'est bien pour cela que j'ai choisi cet endroit entre tous, Neil. J'ai recommencé ma vie, une nouvelle vie, une bonne vie.

— Ce qui sous-entend qu'il n'y a pas de place pour moi. C'est bien cela ?

— Exactement.

La voix de Lacey trembla légèrement, mais plus de colère que de peur. La lueur qui passa dans son regard cuivré lui fit comprendre que Neil s'en rendait parfaitement compte.

— Tu es toujours ma femme, Lacey !

— Crois bien que je le regrette autant que toi. Mais c'est une situation à laquelle il est facile de remédier.

Il inspira profondément et Lacey se raidit. Les yeux de Neil étincelaient de fureur. Cependant, il prit sur lui et se calma presque aussitôt. Lorsqu'il parla de nouveau, sa voix était parfaitement contrôlée.

— As-tu une liaison ? Y a-t-il un homme dans ta vie ?

— Cela ne te regarde pas, Neil !

Comment pouvait-elle conserver un tel calme ? Elle arrivait à s'étonner elle-même ! Pourtant, c'était l'unique solution. Surtout ne pas lui montrer qu'elle avait encore peur de lui !

— Lacey, je t'ai posé une question, dit-il d'une voix dangereusement calme et douce. Y a-t-il un autre homme dans ta vie ?

Lacey éclata d'un rire dur, à la limite de l'hystérie.

— Ils sont plusieurs, heureusement ! mentit-elle.

— Tu as bien changé, murmura-t-il d'un ton accusateur.

Il était livide, profondément choqué.

— Tu crois ? Je ne comprends pas ta surprise, Neil. Après toutes les accusations que tu as portées contre moi... Tu ne penses quand même pas qu'une garce dans mon genre allait passer huit ans à vivre

comme une nonne, non ? Qu'imaginais-tu ? Que je
ne supporterais plus qu'un homme me touche après
toi ?

Elle rit de nouveau, tristement.

— Je suis désolée, Neil, mais tu n'as pas tué
complètement la femme en moi.

Il lui tourna brusquement le dos, de manière à ce
qu'elle ne puisse voir son visage.

— Lacey... à propos de cette nuit...

— Non ! Je ne veux plus en entendre parler !
Jamais !

Neil lui fit de nouveau face, impénétrable.

— Pourtant nous en reparlerons ! déclara-t-il, son
arrogance revenue. Prends ton sac, nous dînons
ensemble.

Lacey secoua la tête vigoureusement.

— Tu perds ton temps, Neil. Ce soir, je dîne avec
deux joueurs de football.

— Trois joueurs !

Lacey se retourna d'un bond.

Paul se tenait sur le seuil du bureau, souriant,
détendu, en short. Depuis combien de temps se
trouvait-il là ? Qu'avait-il entendu ?

— Je me suis invité, ajouta-t-il pour rompre le
silence qui s'était fait dans le bureau. Nous avons
décidé de manger des pizzas.

Son regard se voulait rassurant et Lacey se sentit
mieux.

— Nous allons les commander. L'idée vous plaît ?

Lacey l'aurait embrassé ! Brave Paul qui préten-
dait ne pas s'apercevoir de l'atmosphère étouffante
qui régnait dans le bureau ! Les enfants devaient
attendre dans sa voiture et Lacey frissonna. Que se
serait-il passé s'ils étaient entrés avec Paul ?

— C'est une merveilleuse idée, Paul !

Elle prit son sac, en tira son trousseau de clefs et le
tendit à Paul en souriant.

— J'ai pratiquement fini, Paul. Pourquoi n'iriez-vous pas m'attendre à la maison ? Je ne serai pas longue.

Lorsque Paul s'approcha pour saisir les clefs, Lacey croisa son regard interrogateur. Il parvint pourtant à cacher son étonnement et lui sourit.

— J'espère que je n'ai rien interrompu d'important, dit-il.

Il s'attendait à être présenté à Neil et Lacey dut s'exécuter. Elle le fit d'un ton froid, gênée. Paul, jouant le jeu, tendit une main franche à Neil.

Un instant, Lacey crut que Neil allait la refuser. Il finit cependant par la prendre. En voyant la grimace que fit alors Paul, Lacey fut navrée pour ses pauvres doigts...

— Quelle coïncidence ! s'exclama Paul en se frottant discrètement la main derrière le dos. Il est rare de rencontrer des étrangers portant le même nom, n'est-ce pas ?

Se penchant brusquement, il embrassa Lacey sur la joue, lui recommandant de se dépêcher.

Ce charmant garçon jouait trop bien le jeu, à moins qu'il ait décidé de profiter de la situation !

Après son départ, la tension dans la pièce devint palpable. Lacey, pour se donner une contenance, rangea quelques papiers sur sa table, puis elle éteignit la lampe de bureau. Elle ramassa les clefs de sa voiture et osa enfin regarder Neil.

— Quel est le prix de la ferme Miller ? demanda-t-il soudain.

— Soixante-cinq mille dollars, répondit Lacey, stupéfaite. Tu ne vas quand même pas me dire que cette propriété t'intéresse !

— Je déposerai un chèque certifié demain matin sur ton bureau.

Et il sortit d'un pas pressé.

CHAPITRE DEUX

— C'EST le père des garçons, n'est-ce pas ?

Ils se trouvaient dans le salon, au rez-de-chaussée, et buvaient du chianti. Paul était allongé sur un canapé, Lacey assise sur un gros coussin, à même le sol. Les enfants, leurs pizzas avalées, s'étaient rendus chez un camarade.

Maintenant qu'ils étaient seuls, ils pouvaient enfin parler du sujet qui leur avait trotté dans la tête toute la soirée.

Lacey grimaça un sourire.

— Maintenant que vous l'avez vu, comment pourrais-je nier ? Oui, c'est leur père, mais il ne sait pas qu'ils existent.

Paul fronça les sourcils.

— Comment est-ce possible ?

Lacey soupira. Paul était curieux, et c'était naturel. D'ailleurs, bien d'autres seraient curieux en apprenant que Neil achetait la ferme des Miller. Depuis qu'elle avait quitté son bureau, elle ne cessait d'y penser, inquiète. Neil ne faisait jamais rien sans une bonne raison. Pourquoi voulait-il acquérir cette ferme en ruine ?

— Lacey ?

Elle se tourna vers Paul, résignée.

— Lorsque nous nous sommes... séparés, j'étais enceinte mais je l'ignorais, dit-elle en souriant tristement.

Racontée de cette façon, son histoire devait sembler terriblement romantique. Et pourtant...

Paul se pencha, son verre à la main, très intéressé.

— Et vous étiez fâchée avec lui et ne vouliez pas qu'il l'apprenne ?

Lacey hocha la tête.

— Todd et Scott ont sept ans. N'avez-vous jamais eu envie de lui révéler qu'il était père ?

— Jamais !

Elle avait parlé d'un ton si dur et amer qu'elle le regretta aussitôt.

— Nous avions perdu tout contact, reprit-elle immédiatement d'une voix plus normale. C'est la première fois que je le revoyais aujourd'hui, après huit ans.

Paul plissa légèrement les yeux.

— Et vous auriez préféré qu'il ne reparaisse jamais. Que vous a-t-il fait, Lacey, pour que vous le haïssiez et le craigniez tant ?

— Je ne le hais ni ne le crains ! s'insurgea Lacey.

Elle eut un geste vague de la main.

— Je n'ai plus de raisons d'avoir peur de lui, maintenant.

Pourquoi dire cela ? C'était plus qu'un aveu !

Paul le comprit bien et vint s'asseoir près d'elle sur le plancher. Posant son verre sur une table basse, il passa un bras autour de ses épaules et l'attira vers lui. Il ne lui faisait pas la cour mais lui offrait gentiment son amitié. Lacey, le sachant, laissa aller sa tête sur sa poitrine.

— Il vous a causé beaucoup de mal, n'est-ce pas ?

— Il a failli me détruire, répondit-elle d'une voix dont le calme la surprit.

— Racontez-moi.

— Non, Paul. Si vous êtes un ami, ne me deman-
dez pas une chose pareille.

Paul sourit, rassurant.

— D'accord.

Mais sa curiosité fut la plus forte.

— Qui a demandé le divorce, vous ou lui ?

— Personne. Neil n'aurait jamais voulu. Cela
aurait été reconnaître un échec, et il en est incapable. Quant à moi, je ne le pouvais pas plus.
Demander le divorce m'aurait forcée à dévoiler mon
adresse, et j'avais trop peur qu'il vienne me chercher. J'ai vécu comme une criminelle pendant des
années, Paul, me dissimulant sans cesse, terrifiée à
l'idée qu'il me trouve, qu'il apprenne l'existence des
garçons, qu'il me les enlève. Avec sa fortune et ses
relations, il n'aurait eu aucun mal.

Paul resta un moment pensif.

— Ne risque-t-il pas d'essayer de les prendre,
même après huit ans ? finit-il par demander, soudain
anxieux.

— Non, répondit Lacey d'un ton convaincu. Je ne
suis plus une petite fille terrifiée, Paul ! Je suis
devenue une femme d'affaires respectée. Aucun
juge n'oserait me retirer la garde de mes enfants,
plus maintenant. Chacun sait, dans la région, que je
les élève parfaitement et que j'ai largement de quoi
subvenir à leurs besoins. Neil est assez intelligent
pour deviner que toute notre petite communauté se
rangerait derrière moi. Il n'est pas homme à se
battre pour une cause perdue.

Elle soupira.

— J'aimerais quand même mieux qu'il ignore leur
existence. Je ne veux pas qu'il leur fasse du mal.
Pourquoi a-t-il fallu qu'il revienne ?

— L'avez-vous questionné ?

— Je n'y ai pas pensé. Mais lorsqu'il viendra me
porter le chèque, je le ferai. Je ne vois vraiment pas
Neil en fermier, il doit y avoir une autre raison.

Neil se présenta à l'ouverture du bureau, tout souriant. Ellen l'introduisit dans la pièce qu'occupait Lacey et se retira sur la pointe des pieds, n'oubliant pas de fermer la porte doucement, avec un air de conspiratrice. Les commentaires n'allaient pas manquer...

— Ainsi, tu es sérieux à propos de cet achat.

— Bonjour, Lacey. Quel beau temps !

Il s'assit calmement, croisa les jambes, détendu, et la regarda d'un air amusé.

— Et si nous déjeunions ensemble ?

Son assurance stupéfia Lacey. Elle le dévisagea un instant, son regard s'attardant sur son visage aux pommettes saillantes. Ses yeux couleur cuivre se firent soudain rieurs.

— Si, pour continuer ton inspection, tu as besoin que je me déshabille, n'hésite pas à me le demander. Mais avant, ferme au moins la porte à clef !

Lacey devint écarlate.

— J'ai une meilleure idée ! s'écria-t-elle d'un ton narquois, se reprenant aussitôt. Je vais suggérer aux secrétaires de prendre ma place. Si tu dois faire un strip-tease, cela les amusera peut-être... plus que moi, en tout cas.

— Tout le monde ne vieillit pas de la même façon. Toi, par exemple... Tu es encore plus belle que par le passé.

S'il pensait qu'il pouvait encore la séduire avec des fadaises, en prenant cette voix cajoleuse, il se trompait lourdement !

— Merci, Neil, répondit-elle froidement. Mais plutôt que de m'abreuver de compliments, donne-moi la raison de ta présence ici.

Elle vit une lueur de surprise passer dans son regard, mais il se reprit vite et sourit.

— Eh bien, murmura-t-il, qui l'eût cru ? Mais c'est que tu as grandi !

— Plus que tu ne crois. Vas-tu répondre à ma question ?

Il haussa les épaules sans cesser de sourire.

— En ce moment, j'achète une propriété et attends que tu répondes à mon invitation à déjeuner.

— Mais pourquoi ? insista-t-elle.

— Ai-je besoin d'une raison pour inviter ma femme à déjeuner ?

— Oh, cesse ce petit jeu !

Le ton sec et coupant, excédé, eut raison de l'apparente légèreté de son mari.

— Je ne joue pas ! s'écria-t-il. Et tu es toujours ma femme, Lacey.

Ils se défièrent des yeux. Lacey s'était promis de rester calme, ne voulant pas montrer le moindre signe de faiblesse.

— Ce n'est que provisoire, dit-elle doucement.

Sa réaction la surprit. Il se pencha en avant, le regard soudain courroucé, le visage défiguré par la colère.

— C'est irréversible ! prononça-t-il d'une voix claire et froide. Aurais-tu oublié les paroles du pasteur ? C'est la deuxième fois que tu me menaces mais je ne céderai pas, Lacey. Pas de divorce ! Jamais ! Tu m'entends ?

Surtout ne pas s'énerver !

— Regarde la réalité en face, Neil. Nous ne sommes plus au Moyen Age mais dans les années quatre-vingts. Si je décide de divorcer, il n'y a rien qui m'en empêchera. Cela ne s'appelle même plus divorce, dans notre cas, mais dissolution du mariage. C'est aussi simple que de renouveler un permis de conduire. Je n'aurai même pas à me déranger, mon avocat s'en occupera pendant que je continuerai à diriger mes affaires.

— Je me battrai !

— Comme il te plaira. Dans un cas comme le nôtre, il est rare que la cour ne donne pas satisfac-

tion à celui des deux qui demande la séparation.
D'ailleurs, lorsque le juge entendra l'histoire sordide
de notre mariage, il ne fera pas de gros efforts pour
tenter une conciliation.

Elle s'attendait au pire et s'était préparée à bondir
vers la porte. Aussi son silence l'étonna. Il resta un
long moment immobile, puis passa une main nerveuse dans sa lourde chevelure.

— Je savais que tu me haïssais, mais je ne pensais
pas que c'était à ce point, murmura-t-il.

Cette réflexion fit mal à Lacey, sans qu'elle puisse
comprendre pourquoi. Après tout, leur grand amour
était mort depuis plus de huit ans. Il ne restait rien à
détruire. Etait-ce parce que Neil semblait si malade,
si fatigué, désespéré même ?

— Je n'ai rien décidé encore pour le divorce,
déclara-t-elle d'une voix étranglée. Pour être honnête, je n'y avais même pas pensé avant hier. Je
désire simplement que tu réalises que c'est une
possibilité, Neil, que tu comprennes que si je le
veux, tu n'y pourras rien. Maintenant, j'aimerais
que nous revenions à des choses plus sérieuses.
Qu'es-tu venu faire ici ? Pourquoi acheter cette
ruine ? Il te faudra dépenser autant que le prix
d'achat pour la restaurer, tu t'en rends compte au
moins ?

Un sourire à peine dessiné se peignit sur ses
lèvres.

— Plus. J'ai calculé qu'il faudrait que j'ajoute au
minimum soixante-dix mille dollars pour la transformer en quelque chose d'habitable.

— Mais pourquoi ? répéta-t-elle brusquement,
rageuse. Tu n'es pourtant pas du genre à jeter par les
fenêtres ton capital durement gagné, surtout pour un
domaine dont tu ne tireras jamais de profit. On m'a
dit que tu étais allé te rendre compte sur place, ce
n'est donc pas un coup de tête. As-tu vu dans quel
état se trouvent les bâtiments ? Le puits est conta-

miné, une des granges s'est écroulée l'année dernière et les autres ne vont pas tarder à l'imiter. La maison est...

— N'es-tu pas supposée t'occuper de cette vente ? A t'entendre, on ne l'imaginerait pas.

Il s'était redressé et souriait de nouveau, d'excellente humeur comme à son arrivée. Cette attitude énerva Lacey.

— Je décris toujours les biens que je suis chargée de vendre honnêtement, répliqua-t-elle d'un petit ton sec. Je déteste tromper mes clients, c'est mauvais pour la réputation d'une agence.

— Je puis t'assurer, Lacey, que je suis parfaitement satisfait de l'état des lieux et du prix demandé. Pourquoi ne pas croire que je fais un placement pour le futur ? Plus je vieillis, plus je revois le passé... Souvent j'ai pensé me retirer ici, plus tard. Oui... plus tard.

Il avait trébuché sur les derniers mots, sans que Lacey s'en aperçoive.

— Te retirer ! s'esclaffa-t-elle. Tu ne prendras jamais ta retraite, Neil. Tu deviendrais fou en moins d'une semaine. T'imagines-tu inactif ?

— Comment le savoir avant d'avoir essayé ?

Il se pencha soudain et emprisonna sa main.

— Tu portes toujours tes bagues. Je pensais que tu les avais jetées depuis longtemps.

Lacey résista à la tentation de retirer ses doigts brusquement. Elle portait ses bagues pour la tranquillité d'esprit des jumeaux. Il leur était déjà assez pénible de vivre sans père, à quoi bon leur dénier le droit d'en avoir eu un. De plus, leurs petits camarades étaient curieux, comme on l'est à cet âge. Elle avait dit aux garçons qu'elle et leur père étaient séparés depuis longtemps et qu'il vivait trop loin pour venir leur rendre visite, sachant cependant qu'un jour ils voudraient en savoir plus.

— Elles ont trop de valeur pour qu'on les jette,

lança-t-elle d'une voix dure lorsqu'elle se rendit compte qu'il n'avait pas l'intention de lâcher sa main.

Il leva les yeux vers elle et lui jeta un regard où se lisait une extrême prudence.

— Tu parles de leur valeur marchande, bien sûr. Quant à moi...

Il lui montra son alliance.

— Vieux fou romantique ! grommela-t-il. J'éprouve un attachement d'un autre âge à cette marque d'amour éternel.

L'hypocrite !

— Quel amour ? Tu ne sais pas ce que ce mot signifie ! La seule chose qui te fasse frissonner, c'est la signature d'un contrat intéressant ! Tu es incapable d'aimer, tu ignores même le sens de mots tels que confiance, foi. Ne me parle surtout pas d'amour. Pas à moi ! Je t'ai aimé, quand je pense à ce que j'ai pu t'adorer ! J'aurais donné ma vie pour toi ! Et qu'ai-je reçu en retour, tu peux me le dire ? De la gentillesse ? De la considération ? De la pitié, même ? Non, et tu le sais fort bien. Je n'ai eu droit qu'à de la cruauté ! Tu m'as tuée, Neil, tu m'as massacrée avant de me tourner le dos.

Les yeux pleins de larmes, elle tremblait comme une feuille. Neil était devenu livide.

— Lacey, non !

Se penchant, il posa le front sur sa main qu'il n'avait pas lâchée, le souffle court, comme s'il avait du mal à conserver le contrôle de lui-même. Lacey était dans un tel état qu'elle ne vit rien, ne remarqua pas celui dans lequel il se trouvait.

— Il ne m'a pas fallu trois heures pour comprendre que tu n'avais pu faire ce dont Jason t'accusait, murmura-t-il, les yeux noyés d'émotion.

Une fureur indicible submergea Lacey.

— De quelle accusation parles-tu ? Du projet que nous caressions de nous emparer de ta maudite formule ou du fait que je passais mes jours et mes nuits dans son lit ?

— Des deux, déclara-t-il d'une voix étranglée. Je...

Il ne put aller plus loin et se leva d'un bond, lui tournant le dos pour qu'elle ne voie pas son visage tourmenté.

— Lorsque j'ai quitté l'appartement, ce soir-là, j'étais trop furieux pour penser correctement, trop blessé aussi.

Lacey faillit éclater de rire. Blessé ? Elle était bonne celle-là !

— Je me sentais trahi, poursuivit Neil. Je n'ai pas d'autres moyens de me faire comprendre. Je me suis alors arrêté dans un bar et ai donné un billet de cinquante dollars au garçon, lui ordonnant de m'en réclamer plus lorsque j'aurais bu ceux-là.

— Au fond, je devrais me sentir flattée. Tu m'avais laissé plus d'argent que tu comptais en dépenser en alcool. Deux cent cinquante dollars ! Le prix d'une call-girl, d'une prostituée de luxe, avais-tu dit. Et je ne les valais pas, t'étais-tu empressé d'ajouter. C'est vrai, dans le fond, je ne les méritais pas ce soir-là !

— Je t'en prie !

Il la regardait maintenant fixement, la bouche légèrement tremblante.

— Je t'en prie, Lacey, il faut me croire ! En sortant de ce bar je suis rentré directement à la maison, la chose la plus dure que j'aie jamais faite de ma vie. Parce que je savais...

Il hésita, se tut, eut un geste las, sembla retrouver soudain son courage et poursuivit.

— Je venais de réaliser que Jason avait menti pour se protéger. J'étais décidé à me traîner à tes genoux pour que tu me pardonnes. Mais tu étais partie ! Un instant j'ai eu peur que tu...

— J'y ai pensé, dit Lacey d'un ton calme.

Qu'il s'en aille, vite, ou elle allait finir par le plaindre !

— Lacey ? Me crois-tu au moins ?

— Quelle différence ? Après tout ce temps.

Il reperdit brusquement tout contrôle, s'emporta.

— Mais c'est important !

Voyant qu'elle reculait d'un pas, terrifiée, Neil se força à parler plus doucement.

— Ne comprends-tu pas ? C'est très important pour moi... Si...

— Moi je voulais que tu me croies il y a huit ans, Neil ! Je t'ai assez supplié ! Mais tu as préféré croire un voleur plutôt que ta femme !

Ce fut à son tour de reculer, comme si elle venait de le gifler.

— Ce n'est pas vrai ! Je voulais te croire ! Mais Jason...

— L'as-tu cru ou non ? Toute la question est là. Je savais que tu ne m'aimais pas, mais de là à imaginer que je pouvais te trahir ! Moi qui pensais que tu avais au moins du respect pour moi !

— Je t'aimais, Lacey. Je ne savais peut-être pas le montrer, mais je t'aimais d'un amour sincère.

Il lâcha soudain sa main et se leva.

— Je devine que tu n'as plus confiance en moi, Lacey, et je te comprends. Mais il faut me donner une autre chance.

Elle crut un instant qu'il devenait fou et le dévisagea, incrédule.

— Neil, mais... Tu ne t'imagines tout de même pas que nous allons nous réconcilier aussi facilement ! Tu n'aurais quand même pas l'audace de...

Elle ne put rien ajouter, trop stupéfaite.

— Voyons, Lacey.

Il semblait reprendre son courage, son assurance. Lacey, en revanche, était décontenancée.

— Tu reviens, tu t'excuses, et tout doit reprendre comme par le passé ? Mais tu rêves !

Il soupira, soudain impatienté.

— Les choses ne se passent pas comme prévu, grommela-t-il. Je voulais t'inviter à déjeuner...

— Je n'y serais pas allée.

— T'amadouer, te charmer...

L'air écœuré de Lacey amena un petit sourire sur ses lèvres.

— Je crois que je n'aurais pas dû parler de ce strip-tease.

Lacey ne put s'empêcher de sourire. Neil n'avait pas changé. Lorsqu'il désirait quelque chose...

— Quand as-tu conçu ce plan grandiose ?

— Hier, lorsque je me suis rendu compte que j'avais un mal fou à résister à l'envie de me précipiter chez toi pour casser la figure à ce clown.

— Paul n'est pas un clown ! C'est un ingénieur fort coté et...

— Il est tout petit !

— C'est faux. Il mesure bien dix centimètres de plus que moi !

— Couches-tu avec lui ?

La question la surprit, mais seulement un bref instant. Furieuse, elle réalisa alors que toute cette comédie n'avait pour but que de l'amener à répondre à cette question.

— Que je couche seule ou avec toute la population mâle de cette ville ne te regarde pas !

— Bon, bon, ne te fâche pas. J'ai compris. J'ai perdu le droit de poser cette question il y a huit ans.

Il haussa brusquement les épaules et se mit à rire.

— Je désirais seulement savoir contre qui j'allais avoir à me battre.

— Tu n'auras pas à te battre, Neil. Mets-toi bien ça dans la tête. Si compétition il y a, tu n'es pas inscrit ! Je ne suis quand même pas masochiste !

Son regard s'assombrit, il cessa de sourire.

— Je n'ai que ce que je mérite, murmura-t-il. Je ne pensais pas que ce serait facile. Mais si tu as bonne mémoire, Lacey, tu devrais te souvenir que lorsque je me fixe un but je n'abandonne pas aisément.

— Je suis donc devenue un but ?

— Le plus difficile que je me sois jamais fixé.

Il la regarda soudain comme s'il la voyait pour la première fois.

— On jurerait presque que tu n'es plus la même personne.

— Et on aurait raison, Neil. Je ne suis plus la petite fille naïve que l'on pouvait bousculer tout à son aise. J'ai grandi et je sais ce que je veux. Je sais aussi ce que tu vaux.

A ces mots, une lueur menaçante s'alluma dans les prunelles de Neil. Il stoppa net, la main sur la poignée de la porte.

— Je dois me rendre à Denver pour signer un contrat, mais je serai de retour la semaine prochaine. Je passerai alors signer l'achat de la ferme. Tu vois, je te laisse du temps pour préparer ta défense.

— Tu ne me fais plus peur, Neil !

Il sourit lentement, le regard moqueur, plus arrogant que jamais.

— C'est toi qui le dis.

Il sortit alors avant qu'elle ait le temps de répondre. Comme toujours, il avait eu le dernier mot. Lacey en aurait pleuré de rage.

Son regard balaya le bureau et elle aperçut le chèque. Un instant elle fut tentée de le déchirer en mille morceaux. A quel jeu comptait-il s'amuser ? Croyait-il qu'il pourrait la tourmenter sans qu'elle se défende ? Qu'il essaye ! Elle s'assit et endossa le chèque d'un geste si brusque qu'elle s'emplit les mains d'encre.

CHAPITRE TROIS

— BELLE passe, Scott !
Continue, Todd ! N'hésite pas, va au but !

Le samedi après-midi, Paul encourageait ses petits joueurs du bord de la touche. Il se tourna rapidement vers Lacey, excité et stupéfait en même temps.

— Avez-vous vu ça ? Ils doivent utiliser une sorte de télépathie, il n'y a pas d'autre explication !

Les jumeaux, après un une-deux digne de professionnels, se présentèrent ensemble devant le but adverse. Scott attira le gardien à lui et fit alors une passe au cordeau à son frère qui poussa le ballon dans les filets. Paul se leva d'un bond et se mit à danser sur place, ravi.

Lorsque le jeu reprit, il reporta son attention sur Lacey qui se tenait à ses côtés.

— Savez-vous enfin pourquoi leur père est revenu ?

— Il dit qu'il désire se retirer ici. C'est pourquoi il a acheté cette ferme.

Paul parut surpris.

— Je ne le vois pas prendre déjà sa retraite, bien qu'il en ait sans doute l'âge.

— Il n'a que quarante-cinq ans ! s'écria Lacey, indignée. Sa retraite n'est pas pour demain.

Paul s'abstint de tout commentaire et ils regardèrent un moment le match en silence. De temps à autre il se mettait à crier, ordonnant à l'un des joueurs de se replacer plus vite. Profitant d'un arrêt de jeu, Lacey questionna :

— Paul, avez-vous trouvé que Neil semblait malade ?

— Non, pourquoi ? Il était un peu pâle, certes, et trop mince pour sa carrure, mais sans plus.

— J'ai trouvé qu'il avait bien changé, murmura Lacey. Comme vous l'avez remarqué, il était excessivement pâle, ce qui m'a étonnée car il a toujours eu une excellente mine.

Ils se concentrèrent de nouveau sur le jeu des jumeaux, Paul avec enthousiasme, Lacey plus difficilement. Il lui était dorénavant impossible de les contempler sans immédiatement penser à leur père. Comment n'avait-elle pas remarqué plus tôt qu'ils lui ressemblaient tant ? Ils marchaient même comme lui !

Le match terminé, Paul rassembla son équipe et commenta les principales actions de jeu. Lacey, perdue dans ses pensées, n'écouta que distraitement. D'ailleurs, les garçons lui répéteraient fidèlement les paroles de l'entraîneur dans la voiture.

Neil ! Trois jours s'étaient écoulés depuis sa dernière visite. Trois jours de tension. Il devait revenir vers le milieu de la semaine suivante, avait-il dit, et cela lui donnait quatre jours pour décider si elle lui dévoilerait l'existence des garçons ou non.

Ce problème la déchirait. D'un côté, sa conscience et son instinct maternel lui criaient de protéger ses enfants. Pourtant, Neil avait le droit de savoir. Pourquoi lui dénier le plaisir de les connaître ? Lacey frissonna. Elle avait peur, et pas seulement pour les jumeaux. Neil n'avait jamais exprimé le désir d'avoir des enfants. Que se passerait-il s'il les rejetait comme il l'avait repoussée ? Pire, il pouvait décider de les utiliser contre elle ! Lacey était persuadée qu'il était homme à se servir de ses propres enfants pour atteindre le but qu'il s'était fixé.

Il y avait aussi un facteur important. Combien de temps comptait-il rester en ville ? Il avait parlé de temps libre, mais qu'est-ce que cela voulait dire ? Qu'en ferait-il ? Continuerait-il à la poursuivre dans l'espoir d'obtenir une deuxième chance ? Cette idée la fit frissonner. Lorsque Neil Hartmann désirait quelque chose, il l'obtenait presque toujours. Lui résister ne ferait qu'accroître son désir ; ce serait un défi auquel il ne pourrait s'empêcher de répondre. Lacey était persuadée que Neil ne désirait pas reprendre leur union où il l'avait abandonnée. Non, c'était l'attrait de la conquête qui l'excitait. Elle avait appris à ses dépens, et chèrement, qu'il se fatiguait ensuite très vite de ce qu'il avait pourtant acquis difficilement.

Lacey et Paul devaient sortir ensemble, ce soir-là. Ils allaient dîner au Country-Club, et Mme Moore avait promis de s'occuper des garçons. En sortant de la douche, la jeune femme réalisa soudain qu'elle était mariée et sortait pourtant avec un autre homme que son mari. Cette idée lui déplut, sans qu'elle puisse s'expliquer pourquoi. Ce sentiment de culpabilité était-il normal ?

— Non ! s'écria-t-elle en choisissant sa robe.

Si ce mariage était encore légal, il ne représentait plus rien depuis des années. Et ce n'était pas de sa faute ! Pourquoi se sentir coupable alors qu'elle avait payé pendant de longues années les péchés d'un autre ?

Plantée devant son miroir, elle se remémora soudain la dernière visite de Neil au bureau. Son cœur se mit à battre plus vite. Pourquoi avait-elle eu l'imprudence de reparler de cette horrible nuit ?

Un instant, un sentiment de haine aveugle envers Jason Trent l'étouffa. Qu'était-il devenu ? Comment

et où avait-il passé ces huit ans ? Vivait-il encore de
l'argent qu'il avait reçu d'un concurrent de Neil en
échange de la formule volée à l'usine ? Dépouiller un
ami était particulièrement révoltant et lâche, mais
dénoncer Lacey pour sauver sa peau l'était bien
plus...

Cependant, elle en voulait moins à Jason qu'à
Neil. Après tout, celui-ci n'avait pas été obligé de
croire à l'histoire de Jason. Personne ne l'y avait
forcé. Neil l'avait acceptée sans sourciller, préférant
la version du traître à celle de sa femme. Cela, elle
ne le lui pardonnerait jamais. Jamais !

Une fois prête, Lacey se gourmanda. Elle devait
absolument cesser de penser à Neil. Il lui avait causé
assez de chagrin, il n'allait pas en plus gâcher sa
soirée !

Le sourire de Paul, lorsqu'elle lui ouvrit la porte,
se serait passé de tout commentaire, mais il tint à y
ajouter un compliment.

— Que vous êtes belle, *cara !* Vous semblez si
jeune que je n'arrive à croire que ces grands enfants
sont à vous.

Et à Neil, se dit Lacey en se renfrognant. Paul ne
sembla pas remarquer sa méchante humeur. Il alla
embrasser les jumeaux, prit le bras de la jeune
femme et la conduisit jusqu'à sa Porsche, garée dans
l'allée.

La salle à manger du club était bondée, comme
tous les samedis. L'assistance était jeune et tout le
monde se connaissait. Après le dîner, lorsqu'un petit
orchestre s'installa sur une estrade, beaucoup de
gens, qui avaient dîné séparément, se groupèrent
autour de la même table.

— Pourriez-vous m'accorder une grande faveur ?
demanda Paul en rapprochant sa chaise de celle de
Lacey pour permettre à un couple d'amis de se
joindre à eux.

— Bien sûr ! A condition que ce ne soit pas immoral ou illégal...

Paul sourit et s'approcha encore.

— Essayez de vous souvenir que vous êtes ici pour vous amuser, lui murmura-t-il à l'oreille. Si quelqu'un commence à parler de l'incendie de sa maison, dites-lui de passer plutôt au bureau lundi. Pas de conversations d'affaires ce soir, *cara,* s'il vous plaît ! Croyez-vous pouvoir y arriver ?

Lacey dissimula difficilement un petit sourire.

— Je ferai de mon mieux, Paul, promit-elle.

Paul se moquait souvent d'elle de cette manière, lui reprochant de trop penser à sa carrière. Pourtant, Lacey savait qu'il l'admirait aussi pour sa réussite. Quel charmant compagnon !

Phil et Sherry Engel s'étaient joints à eux et Phil ne tarda pas, comme Paul l'avait prévu, à parler travail. Lacey croisa le regard désolé de son cavalier et grimaça un petit sourire. Après avoir supporté quelques minutes les remarques de Phil, elle se leva brusquement, déclara que l'orchestre jouait son air favori et entraîna Paul sur la piste.

— Depuis quand « Smoke Gets in Your Eyes » est-il votre air favori ? lui demanda-t-il lorsqu'ils se furent suffisamment éloignés des Engel.

— Depuis que Phil essaye de me persuader que sa propriété vaut deux fois plus que celle de Ed Weintraub, répondit-elle en riant. N'oubliez pas que je suis ici pour m'amuser, pas pour parler travail.

Paul la serra un bref instant dans ses bras et sourit, ravi.

Lorsqu'ils retournèrent à la table, Paul s'assit à côté de Phil, laissant Lacey s'installer près de Sherry. De cette façon, toute conversation sérieuse devenait impossible. Ce fut fait avec tant de charme et de politesse que personne ne sembla s'offusquer.

Brave Paul ! Peut-être ne le voyait-elle pas assez. Ils sortaient ensemble une fois par semaine environ et Lacey passait toujours d'excellentes soirées avec lui. Combien de fois avait-elle surpris les regards jaloux d'autres femmes ? Paul était beau, cultivé, amusant.

Pourquoi, dans ce cas, n'était-elle pas plus attirée par lui ? Pourquoi ne ressentait-elle pas le moindre frisson lorsqu'il lui prenait la main ? Sans doute parce qu'elle n'arrivait pas à le considérer comme autre chose qu'un excellent ami et n'envisageait pas que cela aille plus loin.

Avait-elle peur de perdre un allié en s'aventurant plus ? N'était-ce pas plutôt parce qu'elle redoutait tous les hommes, maintenant ?

Cette dernière interrogation ramena ses pensées vers Neil et cela l'exaspéra. Serait-elle encore sa victime longtemps ? Allait-il la hanter le reste de ses jours ?

Lacey lui en voulait d'être revenu. Mais un point au moins était positif, elle n'avait plus peur de lui. La terreur qu'il lui inspirait dans le temps s'était transformée en une tension qui l'énervait encore mais qu'elle parvenait à supporter facilement. Il ne la blesserait plus, se jura-t-elle. Elle ne lui en donnerait pas l'occasion.

Lorsque Paul la raccompagna chez elle, ils s'installèrent dans le salon pour déguster une dernière tasse de café. Mme Moore partie, les enfants endormis, ils s'assirent sur le canapé et Paul passa son bras autour des épaules de Lacey, l'attirant à lui.

— Seriez-vous en train d'essayer de me séduire ? murmura-t-elle.

— Vous y trouveriez à redire ? répondit-il d'une voix douce, soudain terriblement sérieux. Vous savez pourtant depuis fort longtemps que c'est mon vœu le plus cher.

— C'est vrai, admit Lacey.

Sans trop savoir pourquoi, elle se sentait désappointée, ce qui, au fond, était stupide. Elle avait toujours su que Paul réclamerait un jour une réponse à la question muette qu'il lui posait à chacune de leurs rencontres.

Il passa un doigt léger sur sa joue.

— Lacey, je ne suis pas une brute insensible. J'ai compris dès le début que vous étiez anxieuse, qu'il vous était difficile de supporter ma présence lorsque je me faisais trop pressant. Comme ma principale qualité n'est pas la modestie, j'ai vite remarqué que vous aviez peur des hommes en général, non de moi en particulier. Maintenant je sais que c'est votre mari qui est à l'origine de cet effroi.

Il soupira et serra son bras un peu plus fort.

— *Cara*, regardez-moi.

Lacey s'exécuta à contrecœur.

— J'ai l'impression, et croyez bien que j'aimerais me tromper, que vous ne serez vraiment vous-même qu'après avoir rompu définitivement avec lui.

— Mais c'est fait, et depuis longtemps.

Curieusement, la voix de Lacey manqua de conviction, ce qui fit sourire Paul.

— Mais non, Lacey, et vous le savez bien, répondit-il d'un ton assuré. Lorsque ce sera fait, sachez que je serai là. Il est des occasions où il faut savoir attendre.

Ses yeux la fixaient avec une telle intensité qu'elle en fut un temps alarmée.

Après son départ, et tout le jour suivant, Lacey repensa à ce que Paul lui avait dit, ce qui la troubla profondément.

Fallait-il rompre définitivement avec Neil, comme le lui conseillait Paul ? Et si le retour de Neil lui donnait enfin la possibilité d'effacer le passé ? Après tout, se retrouver devant lui soudainement et survivre au choc prouvait amplement qu'elle avait fait des progrès, était maintenant plus adulte qu'au moment de leur séparation.

Lacey n'avait guère d'illusions, cependant, Neil

lui avait semblé terriblement déterminé à aller
jusqu'au bout de ce qu'il souhaitait. Mais elle savait
maintenant qu'elle était capable de lui résister. Quoi
qu'il tente, il la trouverait sur son chemin, de
nouveau sûre d'elle. Bien que ne croyant pas trop à
sa volonté de reprendre la vie commune, Lacey
craignait par-dessus tout la partie de bras de fer,
volonté contre volonté, qu'il ne manquerait pas de
lui imposer. Eh bien, si sa liberté était à ce prix, elle
lutterait !

Le lundi soir, bien qu'ayant passé le week-end à
réfléchir, elle ne savait toujours pas comment se
comporter. Elle était terriblement indécise. Rester
froide, tenir Neil à distance, lui faire comprendre
que tout était fini, suffirait peut-être à le décourager.
Quant à lui dévoiler l'existence des garçons...
S'il ne devait que passer entre deux rendez-vous
d'affaires, Lacey avait déjà décidé de ne rien lui
dire. Un père mythique valait mieux pour eux qu'un
homme qui disparaîtrait un beau jour après qu'ils se
soient attachés à lui. Non, il leur fallait un père à
plein temps !

Le mardi, Lacey fut incroyablement bousculée.
Elle en arriva même à souhaiter ne pas avoir expédié
ses vendeurs en stage. Heureusement, ils n'allaient
pas tarder à revenir ! A cinq heures trente elle s'étira
et ramassa son sac. Il était temps de rentrer chez
elle. C'était le jour de piscine des jumeaux et ils
arriveraient à la maison en même temps qu'elle si
elle se dépêchait.

Elle finissait d'éteindre les lumières, ne laissant
qu'une lampe allumée dans l'entrée par mesure de
sécurité, lorsque la porte s'ouvrit... sur Neil !

Lacey était si fatiguée qu'elle ne réalisa pas
immédiatement. Elle le regarda longuement en
silence, notant au passage ses larges épaules, sa taille
étroite, la musculature déliée de ses bras. Comment

se montrer froide et distante quand ce qu'elle voyait lui plaisait encore tant ?

Elle tenta bien de se persuader que le choc qu'elle venait de ressentir en apercevant Neil provenait plus de son état d'épuisement et de la surprise que d'un quelconque regain de sentiments, mais sans y parvenir. Il s'agissait en fait de la réponse incontrôlée de son corps devant trop de virilité. Sa sexualité, trop longtemps réprimée, venait brusquement de s'éveiller.

— Neil ? murmura-t-elle, encore abasourdie par son apparition.

Un lent sourire éclaira son visage.

— Je t'ai manqué ?

Lacey ignora délibérément la question.

— Je ne t'attendais pas avant demain, au plus tôt. Tu avais dit...

Il s'approcha, les yeux brillants, conscient de sa gêne. Lacey, écarlate, le souffle un peu court, s'immobilisa. Pourvu qu'il mette son émoi sur le compte de la surprise ! Elle n'arrivait pas à détacher son regard de son visage rayonnant. Une peur panique l'envahissait peu à peu.

— J'ai pu me libérer plus tôt, expliqua-t-il d'une voix rauque. Je ne désirais pas rester là-bas, mais être ici, avec toi.

Il secoua lentement la tête, comme pour se persuader qu'elle était bien réelle, et son regard s'attarda longuement sur la moindre des courbes de son corps.

— Pendant tout le trajet je n'ai cessé de m'inquiéter. Par moments, j'avais l'impression d'avoir rêvé ta présence, la semaine dernière, de m'être imaginé que tu étais encore plus belle que par le passé.

Il leva doucement la main et caressa lentement sa joue. Son regard luisait d'une passion mal contenue qui fit s'accélérer encore la respiration de Lacey. Le remarquant, Neil la prit soudain dans ses bras.

— Oh, Lacey! balbutia-t-il avant de s'emparer avec délice de sa bouche.

Lacey se raidit machinalement et les lèvres et les mains de Neil se firent aussitôt pressantes.

— N'aie pas peur, chérie, murmura-t-il tout contre sa bouche. Je t'en supplie, n'aie plus peur de moi.

Le tremblement de sa voix se transmit progressivement aux bras qui l'enserraient. Il la pressa plus fort contre lui.

— Oh, Lacey, il y a si longtemps! Trop longtemps. Tu ne peux savoir à quel point tu m'as manqué, combien j'avais besoin de toi. S'il te plaît, chérie, laisse-moi...

Il reprit sa bouche avec avidité et Lacey eut soudain l'impression que son sang s'était transformé en lave brûlante. Incapable de se contrôler elle répondit à son baiser avec une fougue dont elle se serait crue incapable.

Neil poussa un grognement de désir. Sa main se posa brusquement sur sa nuque, sa bouche se fit plus dure, plus exigeante aussi. Lacey, éperdue, noua ses mains autour de son cou. Elle sentit ses épaules se raidir, Neil la serra avec une force inouïe, comme s'il désirait qu'ils ne fassent plus qu'un.

Lacey n'avait plus peur tant son désir l'accaparait. Si sa mémoire était encore pleine des mauvais traitements qu'il lui avait infligés autrefois, son corps en avait perdu le souvenir pour ne retenir que le plaisir qu'il lui procurait maintenant... plaisir qu'ils avaient partagé d'innombrables fois dans le passé. Ses baisers insistants l'empêchaient de raisonner correctement, la poussaient à s'agripper à lui, tremblante, soumise déjà.

— Neil! s'écria-t-elle. Oh, Neil!

Ses lèvres couraient maintenant sur son visage. Il déposa deux petits baisers sur ses paupières closes.

— Lacey! Je n'arrive pas à croire que je t'ai retrouvée, que tu es vraiment dans mes bras.

Bouleversé par l'intensité des émotions qui l'agitaient, il laissa courir ses mains le long du dos de Lacey, l'attirant tout contre lui, brutal et tendre à la fois.

Lacey ressentait avec force l'intensité de son désir et le combat sans pitié qu'elle devait mener pour conserver un certain contrôle d'elle-même. Finalement, bien que sachant qu'elle commettait une erreur, elle commença à céder à l'envie qui la tenaillait. Ses mains aussi se mirent à caresser le corps de Neil, d'abord timidement, puis de manière plus assurée. Elles parcoururent son dos, ses hanches, ses larges épaules, redécouvrant au passage sa musculature puissante, sa force masculine presque animale. Plus ce contact durait, plus elle avait envie qu'il se prolonge. Ses mains fraîches frôlèrent soudain sa peau brûlante, douce et rude, terriblement excitante...

Neil poussa un long gémissement.

— Lacey, tu me rends fou! grommela-t-il tout près de son oreille.

Cet aveu eut raison de ses bonnes résolutions. Ses ongles s'enfoncèrent un peu plus dans sa peau, descendirent lentement le long de sa colonne vertébrale, lui arrachant un petit cri. Ne pouvant caresser son torse, il la tenait trop serrée pour cela, Lacey s'acharna sur son dos, sentant à chacune de ses caresses son désir croître, enflammée par l'idée qu'elle pouvait le réduire à sa merci, comme lui l'avait fait d'elle.

De ce point de vue, rien n'avait changé. Malgré tout ce qui était arrivé entre eux, en dépit des années solitaires et amères qu'elle venait de passer loin de lui, son corps avait répondu immédiatement à ses avances, avec la même passion que lorsqu'ils s'aimaient. Perdue dans ces sensations, Lacey préféra ne pas penser à ce qui résulterait de ce moment de folie. Comment maintenir Neil à distance si elle avivait encore son désir ? Toute au souvenir du plaisir qu'il avait su lui donner, elle s'abandonna complètement à l'instant présent, gémissant comme un petit animal que l'on caresse avec trop de précision. L'entendant, il frissonna longuement.

Lacey avait écarté les pans de la chemise de Neil pour mieux le toucher. A son tour, il l'imita, déboutonnant sa blouse d'une main mal assurée. Lacey n'eut pas un geste pour l'arrêter. Ses seins lui faisaient mal tant ils étaient durs. Lorsque Neil les caressa, puis quand il se mit à les embrasser avec fougue, ravi de découvrir qu'elle ne portait rien sous son chemisier, Lacey dut se retenir pour ne pas hurler son plaisir. C'était trop ! Et pourtant elle serait morte s'il avait cessé. Empoignant ses cheveux, elle maintint son visage contre sa poitrine, affolée à l'idée qu'il se reprenne et l'abandonne.

Un éclair de plaisir pur lui transperça le cœur. Comme c'était bon de le tenir ainsi, de la même manière que les jumeaux jadis ! Lacey s'aperçut soudain qu'elle n'agrippait plus sa chevelure mais y passait la main lentement, d'un geste plein d'amour et de douceur. A cet instant, elle était prête à lui donner tout ce qu'il pouvait désirer, à se plier à sa moindre exigence. Voilà pourquoi elle avait été créée, pour être à Neil ! Les mains de Neil, sa bouche, son corps !

Lorsque ses lèvres quittèrent ses seins pour son cou, elle protesta faiblement et attira son visage vers le sien. Le baiser qui s'ensuivit fut plus qu'il ne put supporter. Sa bouche se fit plus dure, sa main se mit à labourer sa chair fragile, son ventre se colla contre le sien, exigeant. La fureur de cette passion rendit à Lacey un peu de son sang-froid. Soudain, l'évidence triomphante de son désir ne fut plus une promesse mais une menace. Une folle panique l'envahit.

— Non ! hurla-t-elle en tentant de se dégager.
Non ! S'il te plaît, arrête !

Neil se redressa brusquement. Il jura à voix basse
mais refusa de la lâcher. Au contraire, ses bras
l'enlacèrent avec plus de force encore.

— Chut ! Tout va bien, murmura-t-il. Ne t'affole
pas, chérie. Détends-toi, je te promets de ne pas te
forcer à quoi que ce soit. Laisse-moi te tenir encore
dans mes bras.

Comme on flatte un animal rétif, il entreprit alors
de la calmer du geste et de la voix. Lacey, trop émue
pour agir, nicha sa tête au creux de son épaule,
écoutant son cœur battre la chamade. Petit à petit,
cependant, elle retrouva son calme.

— Ça va mieux ? lui demanda enfin Neil.

Lacey hocha la tête sans oser croiser son regard.
Lorsque les lèvres de Neil effleurèrent sa tempe, elle
frissonna, mais sans plus savoir si c'était encore de
peur...

— Je suis désolé, mon amour, déclara Neil d'un
ton sincère. Je savais que cela risquait d'arriver et je
m'étais promis de tout faire pour ne pas t'effrayer,
pour te donner le temps.

Lacey leva la tête, surprise. Souriant, calmé, il
entreprit tranquillement de reboutonner sa blouse.

— Il faut me pardonner, Lacey. Mes bonnes
intentions ont disparu à l'instant où je t'ai touchée.
C'était plus fort que moi. Tu me troubles toujours
autant...

Elle le fixa en silence. Comment pouvait-il se
contrôler aussi facilement ? Quelle volonté ! Quelle
leçon, aussi ! Elle eut soudain un peu honte de s'être
ainsi abandonnée dans ses bras...

— J'ai un bouton sur le nez ? demanda-t-il en
riant.

Lacey se secoua et détourna les yeux.

— Non, murmura-t-elle, mais tu es si différent. Je
ne te reconnais plus.

Il lui sembla qu'une ombre voilait son regard.

— C'est peut-être mieux ainsi.

Voyant qu'elle allait parler, il la coupa d'un geste bref.

— Ce que j'ai dit la semaine dernière tient toujours, Lacey. Je veux que nous repartions à zéro. Ce ne sera pas facile mais je désire vraiment essayer. Pense à moi comme à un étranger que tu viens juste de rencontrer, cela t'aidera. Ce qui s'est passé ce soir n'arrivera plus. Je me contenterai dorénavant de me tenir près de toi.

— Je ne sais pas, Neil. Te rends-tu compte de ce que tu demandes ? C'est beaucoup, c'est trop.

— Je sais. Mais si nous y parvenions, Lacey... penses-y, veux-tu.

Il parut soudain réaliser qu'elle était épuisée.

— Pourquoi ne rentres-tu pas chez toi ? Nous signerons l'acte de vente une autre fois.

La ferme ! Elle avait complètement oublié.

Lorsqu'ils rejoignirent le parking, elle aperçut une grosse jeep garée près de son Audi.

— Elle est à moi ! dit Neil fièrement. Je l'ai achetée ce matin. C'est le genre d'engin qu'on se doit de posséder quand on est fermier.

— Comptes-tu vraiment rester ici ? demanda Lacey, stupéfaite. Tu m'avais bien dit, pourtant, que tu avais acheté la ferme pour t'y retirer.

— Exactement. J'ai vendu toutes mes affaires, Lacey. A compter de samedi midi, je serai officiellement un retraité.

Le choc la rendit muette quelques secondes. Un instant elle crut avoir mal compris. Elle qui espérait qu'il ne s'incrusterait pas !

— Tu te retires ? A ton âge !

— Oui, murmura-t-il d'une voix qu'elle trouva changée. J'ai décidé de vivre ici, Lacey, en permanence. Plus d'allers et retours vers Denver ou ailleurs. Je serai ici, où je peux te voir, te parler, être

près de toi. Il vaut mieux que tu t'y habitues dès
maintenant. A partir de ce jour je vais faire partie de
nouveau de ta vie, que tu aimes cette idée ou non. Et
à voir ton visage, je devine que cela ne te plaît guère.

Lacey était livide.

— J'aurais dû deviner que tu n'avais pas changé !
Quand je pense que je me suis imaginé un instant
que tu me laisserais le temps. Mais non ! « Je veux,
je désire », tu n'as que ces mots à la bouche ! Tout
était déjà décidé, n'est-ce pas ? Avant même que tu
repartes pour Denver, la semaine dernière. Et moi
qui ai failli te croire… Un nouveau départ… Une
vieille continuité, aurais-tu mieux fait de préciser !
Tu es bien le même tyran sans scrupule que j'ai jadis
supporté !

— Arrête ! cria-t-il en s'emparant de son bras et
en la secouant durement. Je pense chacun des mots
que j'ai prononcés dans ton bureau. Pourquoi crois-
tu que j'ai décidé d'acheter cette vieille ruine trop
chère ? Bon, c'est vrai, j'avais depuis longtemps
l'idée de me retirer ici. Mais c'est lorsque je t'ai
retrouvée que ce projet est devenu réalité. C'était le
seul moyen de rester près de toi.

Lacey ouvrit la bouche pour protester, mais Neil
ne lui en laissa pas le temps. Il l'embrassa soudain
sauvagement.

— Tu avais promis de ne plus recommencer !
s'indigna-t-elle.

— Pas du tout ! J'ai promis de mieux me contrôler, ce que je m'efforce de faire.

Lacey frappa le sol du pied, hors d'elle, ce qui eut
le don de mettre Neil en joie.

— Tu es fantastique, chérie ! Te séduire à nouveau va être un réel plaisir.

— Je suppose que, si je déclare que cela ne
m'intéresse pas, cela ne te fera pas changer d'avis.

— Pas le moins du monde.

Lacey s'approcha de sa voiture et Neil vint s'appuyer à la portière. Il y avait dans ses yeux une admiration qu'elle n'avait jamais vue. Un peu comme s'il venait de découvrir une nouvelle Lacey, plus vivante, possédant plus de répondant.

— Ne me combats pas, Lacey, lui dit-il d'une voix charmeuse. Tu n'y gagneras rien de bon et tu le sais. Tu as peur de me faire confiance, tu ne crois plus en moi, mais tu ne peux nier que je t'attire toujours autant. Et ce n'est que le commencement ! De plus...

Une lueur malicieuse éclaira soudain son regard.

— De plus, reprit-il, je me dois de te courtiser dans les règles de l'art. Lorsque nous nous sommes rencontrés, la première fois, j'avais tant de travail que je n'ai pas pris le temps de te faire une cour correcte.

— Mais maintenant tu as tout le temps, c'est bien cela ?

Malgré le ton sec qu'avait pris sa voix, Lacey n'arrivait pas à lui en vouloir. L'idée d'être courtisée par Neil l'amusait même franchement. Ils s'étaient mariés si vite...

— Tu as tout compris. Vois-tu enfin les avantages que procure un vieil amant ? J'ai à la fois le temps et l'argent. Je vais pouvoir te gâter !

Lacey ne s'était jamais sentie aussi confuse de toute sa vie. D'un côté, elle désirait désespérément le croire, rêvait d'un vrai mariage basé sur la confiance, le respect mutuel et l'amour physique qu'ils avaient toujours partagé. Mais une petite voix murmurait à son oreille qu'elle allait une nouvelle fois au-devant de désillusions, qu'elle avait tort de se laisser tenter, que Neil la blesserait encore...

CHAPITRE QUATRE

— **P**ourquoi, Neil ? demanda-t-elle doucement, la main encore sur la portière.

— Il y a deux explications possibles, répondit-il en souriant gentiment. La première concerne le sentiment de culpabilité que je traîne depuis des années et dont je veux me débarrasser.

— Et l'autre ?

Son sourire s'effaça.

— Donne-moi un peu de temps, murmura-t-il. Je te le dirai plus tard.

Il n'y avait qu'une autre explication plausible, mais Lacey la rejeta immédiatement. Non, Neil ne pouvait l'aimer ! Elle secoua légèrement la tête, sourcils froncés. Neil poussa un petit soupir désolé.

— Ça ne va pas être facile, déclara-t-il sombrement. Autant m'y mettre immédiatement.

Avant qu'elle puisse réagir, il la prit dans ses bras.

— Neil ! Nous sommes pratiquement dans la rue !

Sa protestation s'arrêta là. Neil l'embrassa alors avec une tendresse dont elle l'aurait cru incapable. C'était le baiser le plus doux qu'on lui ait jamais donné.

— Ceci ne t'indique pas un peu ce que peut être

ma deuxième explication ? lui demanda-t-il avant de l'embrasser de nouveau.

Ils restèrent longuement enlacés, joue contre joue.

— Neil ?

La repoussant doucement, il la fixa droit dans les yeux. Ce qu'elle lut dans son regard la bouleversa. On y devinait beaucoup de peine mêlée à un immense désir. Ce fut si bref qu'elle crut être le jouet de son imagination. D'ailleurs, le visage de Neil était de nouveau indifférent et impassible. Oui, elle avait bien rêvé.

— Tu ferais bien de partir, lui dit-il un peu trop sèchement. Tu dois bien avoir rendez-vous avec un de tes clowns, ce soir, non ?

Les jumeaux ! Ils allaient arriver à la maison d'une minute à l'autre et elle ne serait pas là pour les accueillir ! Elle grimpa dans sa voiture aussi vite qu'elle le put et introduisit la clef dans le contact. Pas un instant elle n'avait remarqué le ton sur lequel avait été posée la question. Neil referma la portière pour elle et se pencha.

— Profite de ta liberté tant qu'elle dure, Lacey. Tu as eu huit ans pour faire ce qui te plaisait, mais je compte bien redevenir le seul homme de ta vie.

Faire ce qui lui plaisait ! Si seulement il savait. Jusqu'à ce qu'elle rencontre Paul, Lacey avait mené une vie de recluse. D'ailleurs, comment aurait-il pu en être autrement ? Il y avait les garçons, sa situation..., et une répulsion qu'elle avait du mal à s'expliquer pour les hommes en général, mais en particulier pour tous ceux qui cherchaient à lui faire la cour. Longtemps après avoir quitté Neil, la seule idée d'une intimité quelconque l'avait terrifiée. S'il n'y avait eu sa rencontre avec Paul, elle en serait toujours là.

— Tu ne seras plus jamais le seul homme de ma vie, Neil, répliqua-t-elle vivement. Je vais de ce pas

à la rencontre de deux hommes qui comptent plus
pour moi que tout au monde, toi compris.

Elle le vit pâlir et eut la satisfaction de réaliser que
ce n'était pas seulement de colère. Elle avait trouvé
le point sensible, atteignant à la fois son égoïsme et
sa fierté...

— Tu as encore plus changé que je croyais,
maugréa-t-il. Je sais parfaitement que c'est un peu
de ma faute, mais n'essaye pas de te débarrasser de
moi en te protégeant sans cesse derrière tes autres
partenaires. Je vais avoir un peu plus de mal à te
prouver que je suis celui qu'il te faut, c'est tout. Tu
le sais aussi bien que moi.

— Tout ce que je sais, c'est que tu es en train de
me retarder, répliqua-t-elle d'un ton froid. Veux-tu
t'écarter, s'il te plaît ?

Il hésita un court moment, les yeux plissés, image
même de la colère. Lacey croisa et soutint son
regard furibond sans ciller et eut la satisfaction de le
voir se charger petit à petit d'admiration.

— Cela ne marchera pas, Lacey, finit-il par dire
doucement. Rien ne m'empêchera de te reconqué-
rir. Peux-tu me dire ce que tu trouves à ce Roméo
latin ? Et un joueur de football en plus ! Je suis
persuadé qu'il ne saurait te combler...

— Est-ce ton expérience qui parle ? lui demanda-
t-elle, sarcastique.

— Et comment ! A dix-huit ans, déjà, tu étais plus
femme que toutes celles que j'avais connues avant
toi.

— Je t'en prie ! s'écria-t-elle, écarlate.

Neil sourit, s'écarta d'un pas et lui adressa un petit
signe de la main.

— Dépêche-toi et ne pense pas trop à moi lorsque
tu seras avec tes deux soupirants.

Lacey, le lendemain matin, s'habilla avec un soin tout particulier, partagée entre la peur et la joie de revoir Neil.

— Pas mal, ma fille ! se dit-elle en s'admirant dans son miroir.

Sa robe était pratiquement transparente, et si elle n'avait passé un soutien-gorge...

Son corps était celui d'une adolescente, en plus rond. Sans être obsédée par sa ligne, Lacey l'entretenait cependant avec soin. Elle courait trois soirs par semaine, suivie des jumeaux à bicyclette, nageait régulièrement et jouait au tennis. Son ventre était plat, ses seins hauts et fermes et sa peau ne portait aucune marque de vergetures, malgré sa grossesse. Son teint, rendu mat par le soleil, était merveilleusement mis en valeur par le rose pastel de sa robe.

— Que tu es belle, maman !

Todd lui avait adressé le compliment de la porte de sa chambre et Lacey lui sourit avant de remettre en place une mèche rebelle.

— Tu n'exagères pas un peu ? lui demanda-t-elle en riant.

Todd se jeta sur son lit. Il portait encore son pyjama. Après s'être frotté les yeux, il s'étira et bâilla.

— Où est Scotty ? Il dort encore ?

— Oui. Il n'arrive pas à se réveiller aujourd'hui. Tu vas déjà travailler ?

— Je dois faire visiter une maison à sept heures trente. Ce sont des gens qui travaillent et c'était la seule heure possible. Veux-tu me donner un conseil ? Je ne sais quelles chaussures choisir. Ensuite, nous prendrons le petit déjeuner ensemble.

Mme Moore arriva comme ils sortaient de table. Lacey se rendit directement sur les lieux où elle avait rendez-vous avec ses clients. Il était plus de neuf heures lorsqu'elle poussa la porte de son bureau. Vi se tenait penchée sur la table d'Ellen. La voyant

entrer, les deux secrétaires levèrent les yeux vers elle
d'un air coupable.

« Elles parlaient de moi », se dit Lacey, étonnée.

— Quoi de neuf ? lança-t-elle d'un ton qui se
voulait dégagé. Des coups de fil ?

Vi devint écarlate. Les deux femmes échangèrent
un regard embarrassé.

— Eh bien, que vous arrive-t-il ? Quelqu'un a
téléphoné ?

— Oui, murmura Ellen, horriblement gênée. Neil
Hartmann.

— A-t-il laissé un message ?

— Pas exactement. Il... Il... Il a demandé si sa
femme était là.

— Quoi ?

— Si sa femme était déjà arrivée, répéta Ellen,
rouge comme une pivoine. Le temps que je reprenne
mon sang-froid, il a voulu savoir à quelle heure vous
déjeuniez.

— Quelle audace ! Et vous ne lui avez quand
même pas dit...

— Malheureusement si. A midi et demi. Il insis-
tait tellement.

Elle sourit soudain et se pencha en avant.

— Est-ce vrai, Lacey ? Cet homme superbe est
vraiment votre mari ?

Lacey poussa un soupir résigné. Il était devenu
inutile de nier.

— Légalement, nous sommes toujours mariés,
mais il y a presque huit ans que nous sommes
séparés.

Ellen hésita avant de poser la question que Lacey
redoutait.

— Huit ans ? Et les jumeaux en ont sept, n'est-ce
pas ?

Lacey se raidit légèrement.

— Oui, murmura-t-elle, mais il ne connaît pas
encore leur existence. Ellen, Vi...

Que leur dire ? Comment leur faire comprendre ? Jusque-là, la possibilité que Neil puisse apprendre l'existence des garçons par d'autres ne l'avait pas effleurée.

— Ne vous inquiétez pas, Lacey, nous serons des tombes, déclara Vi gentiment. N'est-ce pas, Ellen ?

— Absolument ! s'écria Ellen.

Lacey les aurait embrassées ! Depuis son arrivée, Vi et Ellen avaient toujours été de son côté, la protégeant du mieux qu'elles pouvaient.

Six ans déjà ! Elle avait quitté Saint-Louis avec soixante-quinze dollars en poche, toute sa fortune, et deux bambins sur les bras. Pas de travail, pas de foyer, personne à qui s'adresser ! Dieu, qu'elle s'était sentie seule, alors ! Puis elle avait rencontré Jessie Meinert et sa vie s'en était trouvée changée.

Lacey avait voyagé en bus, le moyen de transport le moins cher. Durant le trajet, une vieille dame adorable lui avait proposé de s'occuper de Todd pendant qu'elle changeait Scott. Elles avaient lié connaissance et Jessie, car c'était elle, lui avait déclaré soudain qu'elle cherchait une aide comptable. Désirait-elle l'emploi ?

Du travail ! Un moyen de vivre et faire vivre ses petits ! Et l'offre venait de la première personne qu'elle rencontrait. C'était trop beau pour être vrai ! Honnête, Lacey avait alors avoué à Jessie qu'elle ne connaissait rien à l'immobilier ni aux assurances. La vieille dame avait ri en secouant ses boucles blanches et déclaré qu'elle apprendrait vite.

Et c'est ce qui s'était passé. Durant ces premiers mois, Lacey s'était également découverte, s'apercevant qu'on l'avait et qu'elle s'était toujours sous-estimée. S'il avait fallu plusieurs années à Neil pour la persuader qu'elle était incapable de faire quoi que ce soit, il n'avait fallu que trois mois à Jessie pour lui prouver le contraire.

Après lui avoir montré les rudiments du métier,

elle lui redonna confiance en elle, ce dont la jeune femme avait le plus grand besoin. Ce n'avait pas été facile, Lacey n'arrivant pas encore à croire que les jours de misère étaient terminés, qu'il n'était plus nécessaire d'économiser sou par sou. Jessie l'avait d'abord forcée à dépenser plus pour elle, lui expliquant longuement que son emploi n'était pas provisoire, qu'elle pouvait enfin se montrer coquette, que sortir un peu lui permettrait de mieux supporter les tensions qu'occasionnait son travail. Elle était même allée jusqu'à inscrire Lacey à des cours du soir, aux frais du bureau.

Que Jessie était bonne et généreuse! C'était la seule à qui Lacey avait raconté l'histoire malheureuse de son mariage, allant jusqu'à lui parler de cette horrible nuit... Bien qu'elle aimât beaucoup Ellen et Vi, Lacey n'avait pu se décider à tout leur révéler. Elles savaient seulement que Lacey s'était mariée jeune et que cette union avait été un échec.

Maintenant que les deux secrétaires connaissaient Neil et les liens qui le rattachaient à Lacey, il faudrait leur en dire plus, mais ce n'était pas urgent.

Assez pensé au passé! Il y avait plus urgent...

Lacey s'absorba toute la matinée dans la routine de l'agence, meilleur moyen de ne pas remuer de pénibles souvenirs. L'heure du déjeuner arriva sans qu'elle s'en rende compte et elle aurait probablement sauté le repas si Neil n'était apparu, un bouquet de fleurs des champs à la main.

« Ellen a raison, songea Lacey en l'apercevant, Neil est vraiment superbe. »

— C'est pour moi? demanda-t-elle en regardant le bouquet.

— Pour toi. Pour me faire pardonner ma conduite d'hier.

Il grimaça un sourire qui se voulait détaché.

— Je crois que j'ai un peu exagéré. Je suis pardonné?

Lacey ne répondit pas et alla chercher un vase.

— Je me suis souvenu que tu aimais les marguerites et ces fleurs bleues, dit Neil lorsqu'elle revint dans le bureau.

Il s'assit sur un angle de la table et l'observa un instant, la tête penchée, un sourire engageant aux lèvres.

— Je les ai cueillies moi-même. Cela ne t'impressionne pas ?

Lacey lui fit soudain face, glaciale.

— Que t'a-t-il pris de demander ta femme au téléphone ?

Le ton était coupant, dur même. Le sourire de Neil s'évanouit.

— C'est la vérité, Lacey. Tu as peut-être honte de l'admettre, mais pas moi. Tôt ou tard, les gens s'en seraient de toute manière aperçus. Surtout en nous voyant sans cesse ensemble.

Lacey, trop occupée à contrôler la colère qui l'habitait, préféra ne pas relever la dernière phrase. Elle parvint enfin à répondre d'une voix égale :

— Tu es certainement l'être le plus égoïste que j'aie jamais rencontré. Le jour où nous nous sommes revus, je t'ai pourtant dit que j'avais refait ma vie. J'ai mon travail, ici, de nombreux amis que j'apprécie et qui ne savent rien de mon mariage, si ce n'est que j'étais très jeune et qu'il n'a pas été heureux. Je me sens libre, Neil, comme je ne l'ai jamais été. Et voilà que tu apparais et essayes de détruire la confiance et le respect qu'il m'a fallu six ans pour mériter ! Crois-tu qu'il est agréable d'arriver le matin au bureau et de trouver les secrétaires abasourdies par ton arrogant coup de téléphone ? Si tu savais à quel point je me suis sentie humiliée. Comment as-tu pu oser ! Qu'est-ce qui te donne le droit de piétiner les sentiments des autres ? Je ne le supporterai pas, m'entends-tu !

Son sang-froid s'était évanoui bien avant la fin de

son petit discours et elle tremblait maintenant de
rage, les yeux pleins de larmes. Neil semblait changé
en statue de pierre. Seuls ses yeux indiquaient que la
tirade l'avait affecté.

— Excuse-moi, finit-il par articuler après être
resté un long moment silencieux. Je te jure que je ne
voulais pas t'embarrasser.

Il soupira, se redressa et enfonça les mains dans
ses poches.

— Tu as raison, Lacey, je suis égoïste. Je pensais
que si la nouvelle de notre mariage parvenait aux
oreilles de tes soupirants cela les découragerait.

L'air furibond de Lacey lui arracha un sourire.

— Ne te mets pas en colère, chérie. Il m'arrive
aussi d'admettre mes torts. Je ne dirai plus rien, te
laissant le soin de prévenir ceux que tu jugeras digne
de la confidence.

— C'est bien vrai ?

L'air narquois, il leva la main.

— Parole de scout ! Maintenant, faisons la paix.
Je meurs de faim !

Refuser son invitation aurait été enfantin, surtout
après avoir accepté ses excuses. Lacey le suivit
jusqu'à son véhicule rutilant. Elle lui demanda où il
comptait l'emmener.

— C'est une surprise...

Neil la conduisit directement à la ferme qu'il
venait d'acheter. Après l'avoir aidée à descendre de
la cabine, il sortit de derrière le siège un panier
empli de victuailles et une couverture.

— Nous allons d'abord visiter la maison, dit-il.
J'ai besoin de quelques conseils.

Lacey lui jeta un regard suspicieux. S'il s'imaginait
pouvoir la persuader de venir habiter avec lui, il se
trompait lourdement. Elle avait sa maison, tout près
de l'école des garçons et du bureau.

Neil, à sa grande surprise, ne lui posa que très peu
de questions. Son opinion sur l'emplacement des

placards, l'adresse de quelques artisans... Lorsqu'ils revinrent sur la pelouse, elle se sentait plus à l'aise.

Il étendit la couverture sous un gros arbre et sortit la nourriture du panier. Du poulet, une salade, du fromage et une bouteille de vin blanc. Lacey remarqua, et en fut flattée, qu'il n'avait choisi que des mets qu'elle aimait. Le vin blanc, entre autres, était sa boisson préférée.

Lorsque le repas fut terminé, ils ramassèrent ensemble les assiettes et les remirent dans le panier. Puis Neil s'adossa au gros arbre et passa le bras autour des épaules de Lacey. Rassurée par son calme, légèrement assommée par ce vin qu'elle n'avait pas l'habitude de boire à midi, Lacey s'installa confortablement contre sa poitrine et remit en place sa jupe qui s'était relevée sur ses cuisses. Le temps était si beau qu'elle ne portait pas de bas.

— Fallait-il vraiment que tu fasses cela ! demanda Neil en soupirant de dépit.

— Ne me dis pas que tu étais sérieux en parlant de me courtiser ! répondit-elle en riant.

— Mais je le suis toujours ! Cela te plaît ?

— Il est encore trop tôt pour me prononcer...

En fait, elle se sentait très bien avec lui mais ne l'aurait pas avoué pour un empire.

Neil lui prit la main et soupira une nouvelle fois.

— Donne-moi ma chance, Lacey.

La sentant se raidir, il changea rapidement de sujet.

— Parle-moi de ta nouvelle vie. Pour commencer, explique-moi comment tu es devenue la propriétaire d'une firme qui ne porte pas ton nom.

Lacey sourit paresseusement. Elle avait toujours aimé l'humour qu'il parvenait à mettre dans sa voix.

— Le nom de la firme vient de celui de Jessie Meinert, l'ancienne propriétaire. Lorsque je suis arrivée ici, c'est elle qui m'a donné du travail. Puis elle m'a payé des cours de perfectionnement. Elle

était célibataire et sans famille. A sa mort, j'ai hérité
de l'affaire.

— Elle devait beaucoup t'aimer.

— Je l'aimais également beaucoup. Je la considérais comme ma mère et...

Elle s'arrêta brusquement. Elle avait failli ajouter
« et comme une grand-mère pour les garçons ».

— Nous nous entendions très bien, rectifia-t-elle.

— Tu m'as dit que tu étais ici depuis six ans. Où
vivais-tu auparavant ?

— A Saint-Louis.

Elle n'avait que de mauvais souvenirs de cette
ville et elle espéra que Neil s'abstiendrait de la
questionner plus avant sur cette période de sa vie.

— Mais pourquoi Saint-Louis ? Nous n'y connais-
sions pas une âme.

— C'était précisément la raison.

Bien que Lacey ait fait un terrible effort, l'amer-
tume avait altéré sa voix. Neil s'en aperçut et
resserra légèrement son étreinte.

— Je comprends, murmura-t-il. Il n'est pas étonnant que je n'aie pu te retrouver.

— Pourquoi ? Tu m'as cherchée ?

Elle avait eu du mal à conserver un ton calme, à
ne pas trahir une certaine joie. Ainsi, Neil s'était
lancé à sa poursuite...

Lâchant sa main, il la prit aux épaules et la fit
pivoter rudement.

— Evidemment ! J'ai failli devenir fou d'inquiétude ! J'ai fouillé partout, même au service des
urgences de l'hôpital et à la morgue.

Jamais Lacey n'avait lu une telle angoisse sur son
visage.

— Neil ! C'était donc vrai ? Tu es vraiment revenu
à la maison ce soir-là pour t'excuser ?

— J'étais prêt à me traîner à tes genoux ! Et je le
referais encore si c'était nécessaire. Me pardonne-
rais-tu, Lacey, si je te suppliais ainsi ?

Elle secoua la tête, déchirée par une foule d'émotions contradictoires.

— Je ne sais plus où j'en suis, Neil, avoua-t-elle enfin. Te pardonner ? Peut-être. Mais ce n'est pas sûr. Je pensais avoir oublié cette horrible nuit, mais tu es revenu, et les souvenirs aussi...

Bouleversé par la détresse qu'il lisait dans son regard, Neil lui caressa doucement la joue.

— Je ne sais que penser, murmura Lacey, comme pour s'excuser.

— Laisse-moi te dire ce que je pense en ce moment, proposa Neil.

Il déposa un baiser sur son front et la serra doucement contre lui.

— Je t'aime, Lacey. Je t'aime aujourd'hui, t'ai aimée il y a dix ans et t'aimerai toujours. J'ai besoin de toi et te désire, mais plus que tout, je t'aime. Je te le répéterai jusqu'à ce que tu le croies. Ma vie, ces huit dernières années, n'a été qu'un désert. Je ne le mérite pas, mais il faut me donner une autre chance. Il le faut absolument. Maintenant que je t'ai retrouvée, je mourrais si je te perdais encore.

Lacey, les yeux fermés, sentit néanmoins son émotion. Rêvait-elle ? Se pouvait-il que ce soit Neil qui l'assurait ainsi de son amour ? Elle se mit soudain à pleurer, doucement, à tout petits sanglots.

C'était trop tard ! Il s'était passé trop de choses entre eux pour qu'ils puissent reprendre une vie normale. Elle n'était plus la gamine de vingt ans qu'il avait connue. Elle était mère !

Il fallait le lui dire, le moment était arrivé. Quoi qu'il en coûte, Neil devait savoir. Elle leva la tête et il aperçut ses larmes.

— Mon Dieu, Lacey !

Couvrant de baisers ses joues mouillées, il l'empêcha de parler. Ses lèvres glissèrent ensuite vers son cou, puis se posèrent sur sa bouche. Elles étaient

fermés mais douces. Tout en l'embrassant tendrement, il se mit à caresser son visage.

En un instant, Lacey oublia tout. Comme il
pouvait être gentil lorsqu'il le voulait! Ah, refaire
l'amour avec lui, partager sa passion, passer sans
transition du calme plat à la tempête!

Qu'attendait-il? Pourquoi tardait-il tant à prendre
possession de ce corps abandonné? Pourquoi ses
mains, sa bouche...

Il ne se passa rien. Neil continua à la serrer dans
ses bras, à la bercer, mais plus pour la calmer que
pour la cajoler.

— Tu vas mieux? demanda-t-il doucement lorsqu'il la sentit enfin détendue.

Lacey hocha la tête et se blottit tout contre lui.
Neil déposa alors un petit baiser sur le bout de son
nez.

— Tu es toujours aussi jeune! s'émerveilla-t-il.
Comme au premier jour. Tu portais une petite robe
blanche et courte qui dévoilait tes longues jambes et
tu ressemblais à un agneau égaré au milieu de
méchants loups. En te voyant, ce jour-là, j'ai su que
mes jours de célibataire étaient comptés. Je ne
pouvais résister à tant d'innocence.

— Voyez le vieux séducteur! se moqua Lacey en
souriant.

Neil sourit à son tour.

— Je le suis toujours, murmura-t-il avant de
l'embrasser légèrement sur la bouche. En te voyant,
j'ai su que c'était toi qu'il me fallait. Et lorsque je
t'ai eue, je me suis empressé de t'enfermer, de te
garder pour moi. J'avais peur qu'un jeune loup ne
vienne t'enlever.

Lacey digéra l'aveu en silence. Il ne plaisantait
qu'à moitié et elle comprit soudain la signification
des longues journées qu'elle avait passées, solitaire,
en attendant son retour du bureau ou de quelque
voyage d'affaires. Voilà pourquoi il l'avait empêchée

de fréquenter des amis de son âge. Ce n'était pas de l'égoïsme, comme elle l'avait cru, mais une peur incontrôlée de la perdre.

— J'ai cru longtemps que tu avais honte de moi, lui avoua-t-elle. J'ai commencé alors à penser que tu ne m'avais épousée que pour mon corps, que tu ne voulais pas me montrer à tes amis de peur que je commette quelque faux pas et t'embarrasse.

Neil nia le fait d'un vigoureux mouvement de la tête.

— Honteux de toi ? Moi ! Mais j'étais le mari le plus fier du monde ! Tu m'avais épousé, moi, alors que tu avais des dizaines de prétendants. J'ai dix-sept ans de plus que toi, Lacey, et je n'ai jamais réussi à me détendre en public. Je mourais de peur à l'idée que tu te réveilles un jour, me regardes et me trouves vieux et ennuyeux.

Lacey n'arrivait à y croire. Neil se confessant ! Voilà ce que cachaient ses airs froids et supérieurs. Si elle avait su !

— Tu es le seul que j'aie jamais désiré, murmura-t-elle.

Bien qu'elle ait souri, elle était très sérieuse.

— Je t'ai épousé, Neil, parce qu'après t'avoir rencontré je n'aurais pu continuer à vivre sans toi. Je pensais que tu le savais. Je n'étais pas très exigeante, il aurait suffi que tu m'aimes la moitié de ce que je t'aimais, que tu me laisses partager ta vie, en égale. Mais tu m'as fait sentir que j'étais inférieure. Une enfant sans cervelle que tu tolérais dans la journée pour ce qu'elle t'apportait la nuit.

Neil ferma les yeux.

— Pourquoi n'avons-nous pas eu cette conversation plus tôt ! s'écria-t-il. Je voyais bien que tu n'étais pas heureuse, mais je croyais que c'était parce que tu me trouvais trop âgé. C'est à ce moment-là que je me suis mis à travailler comme un démon, amassant de l'argent dans l'espoir de me retirer plus tôt pour mieux m'occuper de toi. Mais plus je travaillais, moins nous nous entendions.

Il s'écarta un peu d'elle et plongea son regard dans le sien.

— La première année, j'ai prié tous les jours pour que tu sois enceinte, dit-il.

Lacey crut que son cœur allait s'arrêter de battre. C'était la première fois que Neil lui faisait part de son envie d'avoir des enfants...

— Je pensais que si je te donnais un enfant, cela nous permettrait de mieux nous entendre. Maintenant je suis très heureux que ma prière n'ait pas été exaucée, mais à l'époque j'aurais été si heureux.

Lacey se sentit devenir glacée.

— Un bébé aurait renforcé notre union, non ? Moi, j'ai toujours voulu des enfants, dès le début, mais je croyais que tu n'en voulais pas.

— Oh, j'en voulais, soupira-t-il lourdement, mais pas pour de bonnes raisons. Avec le recul, je me rends mieux compte de l'erreur que cela aurait été. Notre mariage n'était pas solide et s'est écroulé si vite. Maintenant je remercie chaque jour le Seigneur de ne pas nous avoir donné d'héritier.

Lacey préféra ne pas répondre, de peur que sa voix la trahisse, dévoile à Neil l'étendue de sa peine. Il prit son silence pour de la méditation et la laissa en paix un long moment. Finalement, il s'étira.

— Faut-il vraiment que tu repasses au bureau, Lacey ?

— Oui. J'ai plusieurs rendez-vous et quelques signatures urgentes à donner.

— Dans ce cas, nous ferions bien de nous mettre en route.

Sur le chemin de la ville, il se tourna soudain vers elle.

— Tu devrais engager plus de personnel, remarqua-t-il d'un ton acerbe qui déplut à Lacey.

— J'ai ce qu'il me faut, répondit-elle un peu trop

sèchement, mais mes deux vendeuses à mi-temps sont en vacances et mon vendeur à plein temps, Rick Baker, suit un stage.

— Baker? C'est un parent de Gary Baker?

— Son fils. Tu connais Gary?

— Nous étions à l'école ensemble. Que fait-il maintenant?

— Il est vice-président de la Farmer's Bank and Trust.

Neil leva un sourcil étonné mais ne fit aucun commentaire. Arrivé devant le bureau de Lacey, il la suivit à l'intérieur pour signer enfin le contrat d'achat de la ferme. Pendant que Lacey préparait les papiers, il joua avec son agenda et tomba sur un rendez-vous qu'elle avait pour le soir même.

— Sept heures et demie, dîner CC, lut-il. S'agit-il de la Chambre de Commerce?

— Non, c'est le dîner des directeurs du Country Club.

— Tu fais partie de la direction du Country Club?

Ce ne fut pas la question qui fâcha Lacey, mais le ton sur lequel il l'avait posée. La croyait-il donc si stupide?

— Cela s'est fait bêtement, répondit-elle en s'efforçant de conserver son sang-froid. Je suis un des deux cents membres fondateurs du Club. Il n'existe que depuis peu et n'est composé pratiquement que de jeunes chefs d'entreprises et de membres des professions libérales. C'est un endroit très pratique pour recevoir nos clients. Cela satisfait-il ta curiosité?

— Pourquoi le prends-tu sur ce ton?

Il soupira, impatient.

— Je n'essayais pas de te diminuer, Lacey. Plus j'en apprends sur toi et ta carrière, plus je suis fier de toi. Mais laisse-moi le temps de m'habituer. Il y a huit ans, tu ne savais pas te servir d'un chéquier.

— Merci beaucoup, Neil! Comme tu es délicat!

Comment le sais-tu ? Tu n'as jamais voulu que j'en possède un !

— Ce n'est pas vrai !

— Si, c'est vrai ! Tu m'avais donné une poignée de cartes de crédit pour mieux pouvoir surveiller mes dépenses, déclarant à qui voulait l'entendre que j'étais incapable de remplir convenablement un chèque. C'était à un tel point que bien vite je n'ai plus su reconnaître un billet d'un dollar d'un billet de dix ! Et cet appartement ridicule ! Quatre chambres, cinq salles de bains ! Tout ça pour deux personnes.

— Je pensais que tu aimais notre foyer.

— Ce n'était pas un foyer, Neil, mais une salle d'attente où je tuais le temps en espérant ton retour, le moment où, fatigué par tes réunions, tu viendrais te distraire au lit avec moi...

Une lueur menaçante passa dans son regard.

— C'est tout ce que je représentais pour toi ?

Lacey soutint son regard. Elle était soudain lasse de cette discussion.

— Oui, Neil, c'était tout. Je ne dis pas que je n'aimais pas ça, mais pour toi ce n'était qu'un besoin physique. Voilà pourquoi cette dernière nuit fut particulièrement horrible, elle ne faisait que confirmer ce que je pensais de toi. Je n'étais finalement rien. Un objet que tu utilisais quand bon te semblait.

Toute couleur se retira du visage de Neil. Il devint livide. Lorsque Lacey se tut enfin, il se leva brusquement et lui tourna le dos, les mains enfoncées dans les poches. Il se mit alors à aller et venir à grands pas dans la petite pièce.

Lacey savait qu'elle l'avait blessé. Mais à qui la faute ?

— Il semble que j'aie beaucoup plus à me faire pardonner que j'imaginais, finit-il par murmurer. Me donneras-tu cette chance, Lacey ? Me laisseras-tu essayer ?

L'humble appel qu'elle devinait dans sa voix faillit

avoir raison de sa volonté, mais elle se reprit aussitôt, secouant la tête tristement.

— A quoi bon, Neil ? Il est trop tard pour prendre un nouveau départ. Nous ne sommes plus les mêmes. Cela ne marcherait pas.

Il traversa le bureau d'une enjambée et vint se placer face à elle, de l'autre côté de sa table de travail sur laquelle il s'appuya. Il la fixa, toujours très pâle, mais déterminé.

— Il n'est pas trop tard ! s'écria-t-il. Pas si nous décidons qu'il est encore temps ! Et c'est ce que j'ai décidé. Je veux que tu me reviennes, Lacey. Que tu partages de nouveau ma vie, cette vie dont tu n'aurais jamais dû t'absenter !

Reculant d'un pas, il se passa la main dans les cheveux.

— J'exige sans doute trop et trop vite, aussi vais-je te laisser le temps de réfléchir encore, de t'habituer à cette idée.

Après avoir poussé un long soupir, il se redressa et grimaça un sourire.

— Bon, je m'en vais maintenant mais je reviendrai. Je ne me manifesterai pas de quelque temps ni ne téléphonerai, mais je veux que tu me promettes de bien réfléchir à notre problème, à nous. Je ne parle pas d'un essai, Lacey, comprends-moi bien. Je désire que nous nous donnions entièrement l'un à l'autre. Nous réussirons si nous y croyons et essayons avec foi, mais il est nécessaire que nous soyons tous deux convaincus dès le départ. Ce qu'il nous faut, c'est un véritable mariage, une union que rien ne puisse détruire, qui dure jusqu'à la fin de nos jours.

Après son départ, Lacey fixa le vide un long moment, partagée entre un certain soulagement et une peur atroce. Lorsque Neil lui avait annoncé qu'il ne remettrait pas les pieds au bureau de quelques jours, qu'il ne téléphonerait pas non plus, elle avait été très contente. Cela lui donnerait le temps de réfléchir. Pas pour penser à ce que Neil lui proposait, non. Il lui aurait fallu au moins deux vies pour arriver à prendre une telle décision. Elle avait besoin de ce temps pour décider de la meilleure façon de lui annoncer qu'il avait deux fils. Il lui avait donné un délai, mais c'était tout. Il resterait, s'installerait, s'imposerait à elle s'il le pouvait. Il fallait donc lui parler des jumeaux, et vite, avant qu'un autre s'en charge. Et Dieu seul savait comment il réagirait s'il apprenait la nouvelle d'une autre bouche que la sienne !

CHAPITRE CINQ

Neil avait toujours été un homme d'action. Lacey ne fut donc pas surprise lorsque Gary Baker proposa la candidature du nouveau venu au Country Club le soir même. Elle s'en voulut. Si elle ne lui avait pas parlé des Baker... Elle se consola en pensant que Neil aurait trouvé un autre moyen pour se faire admettre, même si cela avait pris un peu plus de temps.

Elle écouta avec les autres directeurs Gary tracer un portrait idyllique de Neil Hartmann. Baker ne se contenta pas seulement de souligner que Neil était un enfant du pays. Il insista lourdement sur le fait que tous devaient être fiers de sa réussite. Son expérience des affaires, ajouta-t-il, serait très profitable à leur petite communauté maintenant qu'il avait décidé de se retirer dans sa ville natale.

Lacey ne put s'empêcher de sourire. Neil avait dû conquérir Gary, qui ne demandait pas mieux, en lui parlant de ses relations, de ses amis plus ou moins célèbres.

Lorsque Gary se tourna vers elle, un large sourire aux lèvres, elle se raidit, s'attendant au pire. Que faire sinon attendre avec résignation qu'il raconte sa vie en public ? Paul, qui se tenait près d'elle, lui serra doucement la main sous la table et elle apprécia son geste, sans toutefois quitter Gary du regard.

— Je sais que j'aurais dû vous laisser présenter cette candidature exceptionnelle, Lacey. Mais bien que vous soyez la première qu'il ait contactée en arrivant, je le connais depuis plus longtemps que vous et ai aussi des droits.

Se tournant vers l'assemblée qui n'avait rien compris, il annonça d'un ton pompeux :

— Neil Hartmann va vivre parmi nous. Il a acheté la ferme Miller ! C'est bien cela, Lacey ?

— En effet, réussit-elle à murmurer.

Gary n'était pas au courant ! Neil avait tenu parole. Mais il y avait un revers à la médaille. Neil n'agissait jamais gratuitement, elle le savait depuis bientôt dix ans. Ses craintes ne tardèrent pas à se trouver confirmées.

— Ayant été la première à traiter avec Neil, Lacey, je présume que vous serez d'accord pour penser comme moi qu'il peut être très utile au Club.

Elle avait bien deviné. Neil, par l'entremise de Gary, comptait sur elle pour se faire admettre parmi eux. Et ce pauvre Baker qui était si fier de sa trouvaille ! Dommage, elle devait lui enlever ses illusions...

— Je ne crois pas être la personne la plus indiquée pour donner des références sur Neil Hartmann, répondit-elle d'un ton calme. Il est mon mari et nous sommes séparés depuis fort longtemps.

Une heure plus tard, les enfants couchés, Mme Moore partie, Paul et Lacey se retrouvèrent devant un café dans la cuisine.

— J'ai cru que le pauvre Gary allait s'évanouir ! s'écria Paul en riant. On aurait dit qu'une bombe venait de lui exploser dans les mains !

— Vous trouvez vraiment cela amusant ? demanda Lacey en souriant du bout des lèvres.

Paul haussa les épaules et avala une gorgée de café.

— Non. La situation dans laquelle il vous a mise n'est pas drôle. Mais admettez que le regard de cette tablée ahurie valait le détour.

Il soupira profondément, mal à l'aise.

— Ce qui est encore moins amusant, c'est qu'il va bientôt se trouver parmi nous. Comment allez-vous réagir à ces contacts fréquents, Lacey ?

Elle fixa un long moment sa tasse avant de répondre.

— Je n'en ai pas la moindre idée, marmonna-t-elle sombrement.

Elle sentit les yeux de Paul s'attarder sur elle et leva la tête à regret. L'expression de son regard correspondait à ce qu'elle ressentait. Paul, comme Lacey, était en proie à une extrême perplexité.

— Etes-vous en accord avec ses désirs ? demanda-t-il prudemment.

— Oh, Paul, je ne sais pas ! Je n'arrive pas encore à croire qu'il est revenu. La dernière chose que je désire, c'est de me retrouver liée à lui. Mais il faut que je pense aux garçons. Ai-je le droit de les priver d'une vie de famille normale ?

— C'est bien là le problème, murmura Paul. Comment a-t-il réagi lorsque vous lui avez parlé d'eux ?

— Je n'ai rien dit.

— Lacey !

Elle hésita, ne sachant trop comment s'exprimer, ne voulant surtout pas trop en dire.

— C'est une situation difficile, Paul. Je n'ai pas encore trouvé un moyen convenable de…

— Mais il le faut, et vite ! Après ce qui s'est passé ce soir, ce n'est qu'une question de jours avant que quelqu'un le prévienne.

— Vous avez raison. Il faut que je lui en parle à la première occasion. La prochaine fois qu'il passera…

— N'attendez pas qu'il passe ! protesta Paul d'une voix exaspérée. Appelez-le ou allez le voir. Lacey, cette histoire n'a que trop duré !

Elle secoua la tête, obstinée.

— Non, Paul ! Je ne ferai pas le premier pas. Si je me déplace, il pensera que c'est pour accepter son offre. Ce serait me rendre.

— J'ai l'impression que vous évoquez une guerre.

Lacey soupira.

— D'une certaine façon, c'en est une, Paul. Une guerre de volontés. J'ai perdu la dernière bataille et ne désire pas perdre celle-ci. Non, je vais attendre qu'il me contacte. Connaissant Neil, je doute qu'il me faille attendre bien longtemps.

Une semaine entière se passa pourtant sans qu'il donne signe de vie. Lacey apprit par la rumeur publique que différents corps de métiers avaient pris possession de la ferme, mais ce fut tout. Pas une allusion à son mariage, à croire que personne n'en avait dit mot après la réunion au Club.

Le vendredi arriva sans qu'elle entende parler de lui et une colère soudaine l'envahit. Pourquoi ne se manifestait-il pas ?

Rentrée chez elle, au comble de l'énervement, elle décida de courir un peu pour se calmer, sans grand résultat. Lorsqu'elle revint à la maison, après avoir parcouru trois kilomètres, rouge, encore essoufflée, ce fut pour découvrir que les garçons étaient absents, sans doute chez un voisin. Et le jardin qui ressemblait à une forêt vierge !

Lacey sortit immédiatement la tondeuse à gazon et commença à la pousser dans l'herbe trop haute. Un travail de Romain ! Pourquoi n'entretenait-elle pas son jardin plus régulièrement ? Dorénavant...

Elle eut bien vite des ampoules, s'écorcha à la haie, mais se calma. Comme elle atteignait l'angle de la pelouse, heureuse d'en être arrivée à bout, elle

aperçut la grosse jeep de Neil qui remontait l'allée.
Elle fut si surprise qu'elle ne réagit pas aussitôt.

— Que fais-tu là ? lui demanda-t-il, l'air stupéfait.
On dirait que tu viens de te battre.

Lacey réalisa soudain qu'elle devait ressembler à
une folle échevelée. Encore vêtue de sa tenue de
jogging, les mains en sang, les joues rouges, elle
n'avait plus qu'un lointain rapport avec l'élégante
jeune femme dont elle donnait l'image chaque jour.

— Tu as vu tes mains ! Veux-tu que je les soigne ?

Devant son mutisme, il s'énerva.

— Ne vas-tu pas m'inviter à entrer ? Je sais
parfaitement panser les plaies...

— Je peux le faire seule. Mais entre, il faut que je
te parle.

Elle lui proposa du café ou de la limonade, et il
accepta plutôt ce rafraîchissement, à sa grande
surprise.

— C'est une belle maison, dit Neil en parcourant
la cuisine des yeux. Les chambres sont au premier,
je suppose, et les parties communes au rez-de-
chaussée.

— Nous les appelons les pièces familiales, précisa
Lacey sans réfléchir.

Comme elle prenait dans un placard un flacon et
du coton, Neil se précipita.

— Laisse-moi faire !

S'emparant de ses mains, il commença à nettoyer
les plaies avec une grande délicatesse, légèrement
penché vers elle. Lacey ne tarda pas à remarquer
qu'il avait de la peinture dans les cheveux. Etrange !
Neil peindre ? Cela ne lui ressemblait guère.

— Tu as de la peinture bleue dans les cheveux.

Neil sourit mais ne répondit pas tout de suite.

— Tu aimes ce ton de bleu, n'est-ce pas ? Tu
l'aimais tant, avant...

— Oui, mais que signifie...

— C'est une surprise, nous en reparlerons.

Comment pouvait-il adopter un ton si léger alors qu'elle avait des choses si graves à lui dire ? Une chose grave ! Elle ouvrit la bouche, décidée, mais il l'interrompit.

— Mon Dieu, mais ceci doit appartenir à un nain !

D'un air dégoûté, il ramassa une chaussure de sport et la montra à Lacey qui éclata de rire.

— Tes amoureux ont-ils l'habitude de laisser traîner ainsi leur équipement dans la maison ? demanda-t-il en posant la chaussure sur la table. Les choisis-tu toujours aussi jeunes ?

C'était le moment ou jamais !

— C'est non aux deux questions. En fait, cette chaussure appartient à...

— Maman !

L'appel fut suivi du bruit de la porte d'entrée qui claquait. Lacey s'arrêta de parler, bouche ouverte, comme pétrifiée.

— Lacey !

La voix de Neil était basse et dure, accusatrice.

— Maman ! Tu es là ?

— Dans la cuisine, répondit-elle en soutenant le regard de Neil, bras croisés, très calme.

— Moi et Todd voulons savoir...

— Todd et moi, le corrigea-t-elle automatiquement.

Scott poussa la porte de la cuisine et Lacey observa le visage de Neil quand il se tourna pour voir le garçon. On eût dit qu'il venait de recevoir un coup sur la tête.

— Todd et moi voulons savoir si nous pouvons coucher sous la tente, dans le jardin, ce soir, avec Danny et Brian. Leur maman a dit qu'elle serait d'accord si tu l'étais.

Il aperçut alors Neil et lui sourit.

— Bonjour.

— Bonjour, articula péniblement Neil en avalant difficilement sa salive.

— Tu es d'accord, maman?

La porte d'entrée claqua de nouveau.

— Scott, tu lui as demandé? hurla Todd.

Todd pénétra à son tour dans la cuisine, hors d'haleine, et vint se placer près de son frère.

— Maman, on peut? S'il te plaît! Il ne va pas pleuvoir. Nous avons écouté la radio. Mme Crawford attend ta réponse.

Sautant d'un pied sur l'autre comme un jeune chiot un peu fou, Todd n'avait pas encore vu Neil. Il ne le remarqua que lorsque son frère lui planta son coude dans les côtes.

— Oh, bonjour, monsieur.

Neil agrippa le dossier d'une chaise. Il était livide, si pâle que Lacey s'inquiéta. Elle avait prévu que ce serait un choc pour lui, mais pas qu'il serait à deux doigts de s'évanouir.

— C'est entendu, fit-elle aux deux garçons. Allez dire à Danny et à Brian que c'est d'accord. Vous pourrez ensuite sortir la tente du garage.

Ils partirent en poussant des cris de joie et elle les suivit un instant des yeux avant de se tourner vers Neil.

— Tu ne te sens pas bien?

Il secoua la tête et se dirigea d'un pas vacillant vers le bar qui occupait un angle de la cuisine. Il lui tournait le dos, mais elle aperçut quand même la petite boîte de pilules lorsqu'il la sortit de sa poche. Après avoir porté rapidement la main à la bouche Neil avala deux gorgées de limonade.

— Neil? Tu es sûr que tu te sens bien?

Il remit posément la boîte dans sa poche et se retourna. Il était encore très pâle et ses yeux luisaient de rage.

— Tu ne m'as rien dit! accusa-t-il. Lacey, tu as eu deux semaines pour m'annoncer la nouvelle et tu n'as rien dit! Comment as-tu pu...

Sa voix se brisa et il passa une main tremblante dans ses cheveux.

— J'aurais pu l'apprendre d'un étranger, grommela-t-il, amer. Tu me hais à ce point ?

— Tu n'y es pas, Neil ! s'écria-t-elle. J'ignorais que tu allais rester ici. Je m'étais imaginée que tu ne faisais que passer et je désirais protéger les enfants.

Neil poussa un long soupir et fit quelques pas dans la pièce.

— Bon, je veux bien te croire. Mais il y a une semaine que tu sais que je compte vivre ici. A la ferme, lorsque nous avons bavardé... lorsque je t'ai ouvert mon cœur... Pourquoi n'avoir pas tout raconté, alors ?

— J'allais le faire, mais tu as dit... Te souviens-tu ? Tu étais heureux que nous n'ayons pas eu d'enfants. L'as-tu dit ou non ?

Elle éclata soudain en sanglots. Il franchit d'un bond la distance qui les séparait, bras tendus.

— Ne pleure pas, ma chérie ! murmura-t-il en l'enlaçant.

— Je suis désolée, Neil. Je ne voulais pas te le cacher. Il faut me croire !

— Chut ! C'est fini, calme-toi. Je pensais à mon enfance lorsque j'ai prétendu cela. Comprends-tu ? J'ai toujours eu si peur que mes enfants subissent le sort que j'ai connu !

— J'aurais dû y penser, chuchota-t-elle en s'essuyant les yeux.

Puis reprenant brusquement courage, elle ajouta :

— Comment trouves-tu tes fils, Neil ?

Il secoua doucement la tête, trop ému pour répondre.

— Mes fils, finit-il par balbutier.

Il la serra soudain contre lui.

— Ils sont très beaux. Comment avons-nous pu faire deux merveilles pareilles ? ajouta-t-il en riant.

— Comme tous les parents, répondit Lacey en souriant.

Une pensée la frappa brutalement et elle se remit à pleurer.

— Lacey ! Qu'y a-t-il ?

— Todd et Scott ont été conçus la dernière nuit... Ces deux merveilles, comme tu dis, sont le produit de cette horrible nuit, Neil.

Il ne répondit pas et elle n'osa le regarder. S'éloignant de quelques pas, elle croisa les bras très fort sur sa poitrine, comme pour comprimer son cœur qui battait trop vite. Au bout d'un certain temps, Neil s'approcha d'elle et passa ses bras autour de ses épaules. Lacey se rendit compte que son cœur cognait contre sa poitrine aussi violemment que le sien.

— Il n'y a rien que je puisse dire qui te montre assez combien je suis navré, murmura-t-il.

Lacey hocha la tête.

— Non, c'est vrai. Pas maintenant.

— Cela signifie-t-il que c'est trop tard ?

— Je ne sais pas. Pour nous c'est probablement trop tard, Neil.

— Mais je t'aime, Lacey ! Cela ne compte-t-il pas ?

Lacey émit un petit rire amer.

— Tu m'aimes ? Nous ne semblons pas avoir la même idée de l'amour, mon pauvre Neil. Il y a huit ans, tu disais la même chose et...

— Cesse ! Crois-tu avoir été la seule à souffrir ?

— Souffrir ? Oh, oui, j'imagine très bien les tourments par lesquels tu es passé. Comme il doit être dur d'être malheureux quand on vit dans un superbe appartement, qu'on se déplace dans une voiture de trente mille dollars et qu'on dort dans des draps de soie ! Veux-tu savoir ce que c'est que souffrir ? Sais-tu ce que c'est que d'attendre chaque mois, le cœur serré, les allocations et les bons d'alimentation qui permettront de nourrir et d'habiller les enfants ? Le regard des commerçants que tu payes avec des bons de la mairie... Quelle humiliation !

— Je ne savais pas, chuchota Neil. Comment aurais-je pu savoir ?

Lacey respira profondément. A quoi bon s'énerver ? Ce n'était pas en remuant de vieux souvenirs...

— Non, tu ne pouvais pas savoir, dit-elle enfin. Pas plus que je ne pouvais imaginer ta peine. Je suis désolée, Neil. Je ne voulais pas évoquer cette année et demie, mais elle a été si dure. J'avais presque réussi à chasser ces méchants souvenirs. Les garçons, heureusement, étaient trop jeunes pour en avoir vraiment souffert.

Ses enfants ! Leurs enfants !

— Ils sont merveilleux, Neil. Mais ils arrivent à un âge où il leur faut un homme à la maison. Ils ont besoin de leur père. J'aimerais les partager avec toi. Il n'est pas trop tard pour cela.

Neil lui prit la main et la serra avec force.

— Mais comment devenir père du jour au lendemain ? J'ai quarante-cinq ans et je n'ai jamais eu le moindre contact avec un enfant. Et s'ils me haïssaient ?

Lacey secoua la tête, émue de le voir soudain si angoissé.

— Pourquoi veux-tu qu'ils te haïssent ? A leur âge ! Ils ignorent encore ce qu'est la haine, Neil, et c'est tant mieux. Je ne t'ai jamais critiqué devant eux, n'ai pas tenté de les dresser contre toi. Je n'aurais pu le faire, de toute façon.

Neil lui sourit brusquement. Il avait repris des couleurs et semblait plus détendu. Il lui tendit les bras et elle se blottit contre lui.

Pourquoi sentait-il tant l'essence de térébenthine ? Et que portait-il donc dans la poche de poitrine de sa chemise qui formait une boule ? Lacey aurait bien voulu l'interroger sur la surprise dont il avait parlé mais elle jugea que ce n'était pas le moment.

— Merci, murmura-t-il en effleurant ses cheveux des lèvres.

Elle lui serra doucement la main et le sentit soupirer.

— Je promets d'être un aussi bon père que tu as été une bonne mère, Lacey. Dieu seul sait si j'y parviendrai mais je m'y appliquerai de toutes mes forces.

— J'en suis sûre.

Il disait vrai, elle en était certaine. Un immense soulagement envahit Neil et son visage s'éclaira.

— Mais comment m'y prendre ? Par où commencer ?

Lacey s'apprêtait à répondre lorsqu'elle aperçut par la fenêtre les jumeaux et les petits Crawford. Ils avaient sorti la tente et essayaient de la monter, chacun donnant des ordres différents aux autres. Elle éclata de rire.

— Sais-tu monter une tente ?

CHAPITRE SIX

Neil et Lacey se rendirent dans le jardin. D'un commun accord ils avaient décidé de ne pas révéler l'identité de Neil aux garçons ce soir-là. Ils leur apprendraient la nouvelle lorsqu'il n'y aurait pas de témoins.

Lacey, une fois Neil occupé avec les enfants, s'écarta un peu et les observa. Il ne fallait pas qu'elle s'interpose, qu'elle vienne gâcher ce premier contact.

Les gamins, flattés d'être aidés par un adulte, coopéraient de bon cœur mais sans aucune méthode, chacun poussant ou tirant de son côté. Neil, en sueur, exaspéré, finit par jeter un regard noir à Lacey.

— Pour l'amour de Dieu, Lacey, aide-nous !

Elle avait l'habitude de se faire obéir. En quelques instants la tente fut montée. Lorsque les enfants eurent installé leurs sacs de couchage, elle leur donna deux lampes électriques et un petit poste de radio à transistors.

— Les piles seront certainement usées demain matin, dit-elle en riant à Neil lorsqu'ils regagnèrent la maison. Veux-tu un peu de café ?

— Avec plaisir.

Il se posa sur l'un des tabourets du bar et la

regarda s'affairer. Lacey, qui s'était sentie parfaitement à son aise tout le temps qu'ils avaient passé
avec les garçons, perdit soudain de son assurance.
Nerveuse, elle lui tendit sa tasse. Neil la remercia et
tira à lui un autre tabouret, en une invite muette
difficile à ignorer.

— Tu avais raison, ils sont merveilleux.

— N'es-tu pas un peu de parti pris ? demanda-t-
elle en souriant.

Il se mit à rire.

— Un peu.

Se penchant sur son siège, il lui prit la main.

— C'est amusant. Figure-toi qu'au début, je n'ar-
rivais pas à les distinguer. Mais maintenant c'est
facile. Scott te ressemble, il est calme, placide
même. Todd a mon tempérament, mon mauvais
caractère plutôt.

Lacey le regarda stupéfaite.

— Mais comment fais-tu ? Même leur pédiatre les
confond !

— La voix du sang, sans doute. Mais pourquoi
mentionner le pédiatre ? Ils ne sont pas malades, au
moins ?

— Oh, non ! Ils semblent avoir hérité de ta
constitution. Je ne les ai jamais vus malades. Bien
sûr, il y a les plaies et les bosses, mais je sais m'en
occuper. En revanche, à la moindre trace de fièvre,
à la plus petite toux, je les conduis chez le docteur.
L'idée même d'une maladie grave m'emplit de
panique.

Neil fronça les sourcils, perplexe.

— Je ne me souvenais pas de ce détail. Ainsi, tu
as peur de la maladie. C'est nouveau ?

— Non. Mais comment le saurais-tu, toi qui n'es
jamais souffrant ? Je m'affole dès que quelqu'un que
j'aime n'est pas bien. Tout a commencé lorsqu'une
petite camarade de classe est morte de leucémie. Je

la considérais un peu comme ma sœur. Ensuite,
lorsque les garçons avaient huit mois...

Elle se tut brusquement. Pourquoi fallait-il que
ces souvenirs noirs reviennent maintenant à sa
mémoire ?

Neil se tourna légèrement vers elle.

— Raconte-moi. Allons, Lacey, j'ai le droit de
savoir. Je suis un grand garçon, inutile de prendre
des gants avec moi.

Lacey soupira, tête baissée.

— Lorsqu'ils n'avaient que huit mois, je les ai
laissés un jour à une voisine pour aller me présenter
à un travail. J'avais lu dans un journal qu'une grande
surface recrutait des vendeuses. C'était l'hiver, il
faisait très froid, il y avait la queue devant le
magasin. J'ai pris froid. Deux jours plus tard, j'étais
hospitalisée avec une pneumonie. La mairie envoya
les garçons chez une nourrice jusqu'à ce que je sois
assez forte pour m'occuper à nouveau d'eux.

Elle croisa le regard de Neil.

— Que pouvaient-ils faire d'autre ? Je n'avais pas
de famille, pas d'amis, pas d'argent... et ces gens
étaient si gentils. Mais à l'idée qu'on pouvait me les
prendre simplement parce que j'étais malade... Ne
plus les voir, ne pas pouvoir les tenir dans mes bras.
Quelle torture ! Et j'avais si peur qu'il leur arrive
quelque chose en mon absence.

Sentant Neil se tendre, elle se força à sourire.

— Voilà. Tu sais maintenant pourquoi j'ai peur
de la maladie. Je sais que c'est stupide, mais je ne
peux m'en empêcher. Je ne prends aucun risque.
Nous mangeons une nourriture équilibrée, prenons
religieusement nos vitamines, nous reposons, faisons
du sport... Tu vois, tu n'as pas à t'inquiéter. Tes fils
sont probablement les enfants les plus sains de la
ville.

Neil ne sembla pas rassuré pour autant. Lacey,
sous le coup d'une impulsion soudaine, se laissa

glisser de son tabouret et vint planter un petit baiser au coin de ses lèvres.

— Nous n'avons été séparés que trois semaines, lui dit-elle. Depuis, cela n'est jamais plus arrivé.

Neil posa sa joue contre la sienne et passa un bras autour de sa taille. Il resta ainsi un long moment, sans parler.

— Puis-je rester ici, ce soir ? finit-il par demander.

Lacey sentit sa bouche devenir sèche.

— Je... Non. Ce n'est pas possible.

— Je pourrais essayer de te convaincre, tu sais, suggéra Neil d'une voix douce, les lèvres tout contre son oreille.

Lacey détourna la tête.

— Neil ! Je ne suis pas prête. Tu avais promis !

— Seras-tu jamais prête ? Sois honnête, Lacey. Tu es en train d'essayer de gagner du temps, ne sachant comment me dire que tout est fini.

— Ce n'est pas vrai ! Je ne cherche pas à gagner du temps. Le problème vient de ce que je ne sais que penser. Les choses vont trop vite et je ne peux me permettre la moindre erreur. Il y a les garçons, ne l'oublie pas. Ne peux-tu me laisser un peu de temps ?

Elle crut un instant qu'il allait protester, mais il s'inclina.

— D'accord. Puisque tu as besoin de réfléchir, tu auras tout le temps nécessaire. Mais ne sois pas trop longue, Lacey. Je ne veux pas devenir un simple visiteur. Je désire que nous vivions ensemble, en véritable famille. Maintenant plus que jamais. J'ai trop perdu de temps avec mes fils, je ne veux plus en perdre encore. Quand pouvons-nous leur dire ? Demain ?

— Ils ont un match de football à une heure, répondit-elle, pensive. Pourquoi n'y assisterais-tu pas ? Nous reviendrions ensuite à la maison et...

Neil acquiesça d'un signe de tête. Puis une idée sembla le frapper.

— Ainsi, ils jouent au football. N'aiment-ils pas aussi les pizzas ? C'était donc eux ! Et Rosseti, le clown ?

— Il s'appelle Paul Rossi et n'est pas un clown !

— Qu'y a-t-il entre vous, Lacey ? Je veux la vérité !

— Paul est un très bon ami.

Les yeux de Neil se fermèrent à demi et il lui serra le bras.

— Quel genre de bon ami ?

— Cela ne te regarde pas ! Lâche-moi ! Si tu crois que tu peux tout te permettre chez moi, tu te trompes !

— C'est ton amant ?

Lacey savait qu'il ne la laisserait pas tranquille jusqu'à ce qu'il obtienne une réponse, et elle ne voulait pas mentir. Elle redressa la tête et la regarda droit dans les yeux d'un air de défi.

— Pas encore ! lui lança-t-elle.

— Pourquoi ? lui demanda-t-il d'une voix douce mais terriblement menaçante.

— Pourquoi pas ?

— Ne me dis pas qu'il ne te fait pas la cour ! Depuis combien de temps vous connaissez-vous ?

— Un an. Mais je ne vois pas le rapport.

— Et tu le repousses depuis un an ? Tu ne lui as pas cédé ?

Son scepticisme la révolta.

— Je n'ai cédé à personne depuis huit ans !

Elle regretta immédiatement cet aveu. Sa vie privée ne le regardait plus.

— Huit ans ? Tu n'as jamais...

Sa voix s'éteignit, comme s'il n'arrivait pas à y croire.

— C'est pourtant vrai, sourit Lacey tristement.

— Mais pourquoi ? Une femme comme toi... Je

suis sûr que tu as eu des soupirants pendant tout ce temps.

— Tu saurais pourquoi si tu réfléchissais un peu, murmura Lacey en baissant les yeux.

Neil la contempla un instant, stupéfait, puis son visage se fit grave.

— Mon Dieu, Lacey! C'est à cause de moi? Par ma faute tu as maintenant peur des hommes, c'est bien ça?

— En partie. J'ai surtout peur de savoir si j'ai peur. Comme ces enfants qui n'osent ouvrir un placard, persuadés qu'il s'y trouve quelque monstre tout en sachant qu'il n'y a rien.

Neil lui caressa lentement le dos, comme s'il avait deviné la tension qu'elle essayait de dissimuler. Elle posa la main sur sa poitrine.

— Il y a peut-être une autre explication, suggéra-t-il doucement. Tu as peut-être toujours su, au fond de toi, que tu ne trouverais jamais les mêmes sensations dans les bras d'un autre homme.

Lorsque Lacey répondit, ce fut d'une voix lourdement sarcastique.

— C'est ce que tu aimerais croire, n'est-ce pas?

— Oui! Je donnerais tout pour y croire! Tout plutôt que de penser que je t'ai rendue frigide et névrosée!

— Merci beaucoup. Tu as toujours été fort pour les compliments.

A sa grande surprise, Neil ne se fâcha pas. Au contraire, il éclata même de rire.

— Brave petite Lacey qui se défend comme une tigresse! s'exclama-t-il. Tu es fantastique, ma chérie!

L'attirant soudain à lui, il écrasa sa bouche sur la sienne. Lacey frissonna longuement...

— Arrête, Neil! cria-t-elle lorsqu'il la lâcha pour reprendre son souffle.

— Non, refusa-t-il d'un ton calme.

Il y avait comme une trace d'amusement dans sa voix et Lacey fut partagée entre la surprise et la colère.

— Mets les bras autour de mon cou, lui ordonna-t-il.

— Jamais !

— Tu veux parier ?

Il reprit alors sa bouche avec une ardeur renouvelée.

— Non ! parvint-elle à murmurer faiblement contre ses lèvres.

Il écrasa les siennes et elle ne put protester plus longtemps. D'ailleurs, en avait-elle vraiment envie ? Finalement, oubliant sa fierté, elle noua ses mains autour de son cou et se serra contre lui. Neil soupira, satisfait, et la colla tout contre lui, lui faisant ainsi sentir la réalité de son désir.

Neil gémit doucement et Lacey sentit ses mains qui, après avoir couru le long de son dos, se posaient sur ses seins. Lorsqu'il la repoussa gentiment, elle tremblait comme une feuille.

— Et maintenant, me laisseras-tu rester ?

Lacey ne répondit pas immédiatement, trop occupée à reprendre son souffle. Elle se tenait agrippée à lui, ses jambes ne la soutenant plus.

— Je ne peux pas, finit-elle par dire d'une voix mal assurée.

Les caresses de Neil se firent plus précises, plus appuyées.

— Tu me désires, Lacey, autant que je puis te vouloir, gronda-t-il alors en faisant un terrible effort pour se contrôler. Nie-le si tu l'oses !

Elle ne le put.

— Oui, je te désire, Neil. Mais je ne peux... C'est encore trop tôt.

Après avoir hésité l'espace d'un instant, Neil l'attira soudain à lui et colla son ventre contre le sien.

— C'est cela qui t'effraie ? demanda-t-il doucement. C'est mon corps ?

Lacey s'immobilisa, le souffle court, les oreilles
bourdonnantes.

— Oui, balbutia-t-elle en s'efforçant de le repousser. Je t'en prie, Neil, n'insiste pas.

Il la contempla un moment, les lèvres pincées à la
vue de son visage livide, de la lueur de tristesse qu'il
lisait dans ses yeux. Puis, au lieu de la lâcher, il la
serra tout contre lui.

— Calme-toi, Lacey, murmura-t-il alors. Il ne
s'est rien passé, nous sommes vêtus et il y a quatre
enfants à portée de voix. Il faut que tu te réhabitues
à moi, que tu oublies ta peur pour ne ressentir que
du plaisir. Il n'y a rien d'effrayant à propos de mon
corps. D'ailleurs, tu le connais aussi bien que le tien.

Il continua à parler ainsi à mi-voix, calmement,
lentement, jusqu'à ce que Lacey se détende.

— Tu vois bien, soupira-t-il lorsqu'elle cessa de se
raidir et se tint passive dans ses bras, nous sommes
enlacés, je suis fou de désir et rien ne s'est passé. J'ai
réussi une fois de plus à me contrôler. Tu n'as donc
pas à t'inquiéter.

Lacey ne put s'empêcher de sourire et il déposa un
petit baiser sur le bout de son nez.

— Aujourd'hui, et pour la seconde fois, tu as
complètement bouleversé ma vie, lui dit-elle, et je
ne sais encore si cela me plaît ou non.

— Et moi ? Crois-tu être la seule à te sentir
confuse ? J'étais venu ici dans l'intention de recon-
quérir ma femme et voilà que je découvre qu'il me
faut dorénavant plaire à trois personnes ! Cela te fait
rire ?

Lacey secoua la tête d'un air innocent.

— Heureusement que tes cheveux sont déjà gris.

Neil l'observa entre ses paupières entrouvertes.

— C'est gentil de me rappeler sans cesse mon
âge ! Mais méfie-toi, je suis encore capable de...

— C'est bien ce dont j'ai peur! le coupa Lacey sans lui laisser le temps de préciser sa pensée.

— Tu n'as aucune raison d'avoir peur, assura-t-il en se penchant vers elle.

Son baiser, qui au début se voulait rassurant, devint plus appuyé lorsque Lacey entrouvrit les lèvres. Sa passion, trop longtemps bridée, éclata d'un seul coup. Pourtant, il parvint une nouvelle fois à la repousser, le souffle court.

— Si je ne pars pas immédiatement, je crains de ne plus me maîtriser longtemps, grommela-t-il. Reconduis-moi, Lacey, ou je n'aurai jamais le courage de partir.

Elle le vit s'éloigner dans sa jeep, soupira, rentra, referma la porte et essaya d'analyser ses sentiments. Il était inévitable que persiste encore entre eux un certain antagonisme. Mais les confrontations se faisaient moins dures, comme s'ils étaient sur le point d'atteindre une compréhension mutuelle. Les vieilles blessures commençaient à se cicatriser. La guérison serait-elle complète? C'était une autre histoire...

Sous la tente, on entendait encore de la musique. Lacey sourit et alla s'assurer que la porte de la cuisine n'était pas verrouillée et qu'une lampe brûlait dans le patio. Avec des enfants aussi jeunes, il valait mieux se montrer prudente.

Après avoir rangé quelques papiers, vérifié des comptes, signé un chèque ou deux, Lacey regarda les dernières informations à la télévision avant de se laisser tomber sur le canapé avec un soupir de satisfaction. Les garçons travaillaient bien à l'école, très bien même, et les affaires étaient si florissantes qu'elle envisageait de s'adjoindre un spécialiste des assurances pour la seconder. La vie, finalement, avait pris un tour qui lui convenait parfaitement.

Les réactions de Neil, en assistant au match de ses fils, furent telles que Lacey les attendait. Elle avait

apporté deux fauteuils de jardin mais passa tout le
match à aller et venir le long de la touche en hurlant
des encouragements aux garçons. Neil, tout d'abord,
sembla très gêné de sa façon d'agir, mais au bout
d'un moment il ne tarda pas à l'imiter, enthousiaste
mais un peu troublé par les règles d'un jeu qu'il
n'avait jamais pratiqué et connaissait peu.

— C'était voulu ?

— Mais oui, Neil. Cela s'appelle faire une tête. Ils
s'entraînent tous les jours dans le jardin.

— Pourquoi ?

Il ne semblait pas comprendre qu'un gamin puisse
passer son temps libre à faire rebondir un ballon sur
son crâne.

Lacey pouffa.

— J'ai l'impression que quelques explications
concernant les bases du football seraient les bienve-
nues, dit-elle. Lorsque tu en sauras plus, tu t'aperce-
vras que tes fils sont parmi les meilleurs de leur
catégorie d'âge.

Neil hocha la tête en avouant, qu'effectivement, il
n'y comprenait rien. Il y avait cependant une note de
fierté dans sa voix. Il ignorait peut-être les règles du
jeu mais se rendait néanmoins compte que ses fils
étaient excellents.

Lacey, depuis un moment, sentait les regards
curieux des autres parents posés sur eux, mais ne
laissa pas voir son agacement. Heureusement, elle
avait pu prévenir Paul à temps de la venue de Neil.
Sentant qu'elle redoutait l'instant où ils se trouve-
raient face à face, Paul, après avoir salué brièvement
Neil d'un hochement de tête, s'était entièrement
consacré à son équipe. Lacey lui fut reconnaissante
de son tact, tout en sachant parfaitement que le bel
Italien n'avait pas renoncé pour autant à la séduire.
Pour l'instant, il patientait...

Les jumeaux marquèrent deux buts, un chacun, ce

qui fut suffisant pour assurer la victoire de leur
équipe. A la fin du match, ravis de cette victoire, ils
vinrent rejoindre leur mère. Lacey se demanda alors
si Neil avait remarqué les coups d'œil intrigués que
les garçons lui jetaient. Si c'était le cas, il ne le
montra pas. Ensemble, tous quatre se dirigèrent vers
le parking.

Neil était très élégant. Il portait un polo crème et
un pantalon marron foncé. C'était la première fois
que Lacey le voyait ainsi vêtu. A ce jour, elle ne
l'avait jamais connu qu'habillé d'un costume trois
pièces très strict.

Il les suivit jusqu'à la maison et parqua sa jeep
derrière la voiture de Lacey, dans l'allée. Les
garçons l'observèrent de nouveau, se regardèrent,
échangeant un message muet que Lacey fut incapable de déchiffrer. Ils étaient beaucoup trop calmes,
songea-t-elle en les précédant dans la cuisine. Là,
elle servit à chacun du thé froid.

Le regard solennel qu'ils lui lancèrent en accep-
tant la boisson la stupéfia. Légèrement inquiète, elle
alla déposer la carafe sur la table. Neil, qui était
resté sur le seuil jusque-là, les mains dans les poches,
la rejoignit et se planta à ses côtés. Il lui adressa un
coup d'œil interrogateur auquel elle ne sut que
répondre.

Les jumeaux, qui habituellement se montraient
très bavards après un match, se tenaient immobiles,
épaule contre épaule, minuscules statues dont les
yeux ne quittaient pas les adultes.

— Que se passe-t-il, les enfants? demanda Lacey.
Quelque chose ne va pas?

— Tout va bien, répondit Scott.

— Nous attendons, ajouta Todd.

— Vous attendez?

Lacey ne comprenait pas.

— Oui, nous attendons tes explications, précisa
Scott.

— Quelles explications, chéri ?

— Voyons, maman, tu sais bien ! s'écria Todd en jetant un long regard appuyé sur Neil. C'est maintenant que tu vas nous dire qui il est, non ?

Lacey ouvrit la bouche, ne sachant que répondre. Neil prit alors les choses en main. S'avançant, il s'assit sur une chaise pour être à la hauteur des enfants.

— Qui croyez-vous que je suis ? questionna-t-il doucement.

Ils restèrent d'abord silencieux, un peu gênés, puis se mirent soudain à parler en même temps.

— Eh bien, nous ne sommes pas certains...

— Mais nous pensons que peut-être...

— Vous pourriez être...

Puis en chœur :

— Notre père !

Lacey était abasourdie. Comment avaient-ils deviné ?

Neil se pencha en avant, les coudes posés sur les genoux, le menton dans les mains, étudiant leurs visages de près.

— Et que ressentiriez-vous si je vous disais que je l'étais ? demanda-t-il d'un ton prudent, presque à voix basse.

— Oh, ça nous plairait bien ! s'exclama Scott. N'est-ce pas, Todd ?

— Et comment ! Nous avons déjà parlé de vous entre nous et avons décidé que vous feriez un père épatant, même si vous ne savez pas monter une tente. Vous êtes amusant, ajouta-t-il en grimaçant un petit sourire timide.

Lacey décida alors qu'il était temps qu'elle intervienne.

— Un instant, un instant ! Quand avez-vous parlé de cela ? Comment en êtes-vous arrivés à penser que Neil était votre père ?

— Oh, c'est facile ! s'écria Todd. On vous a vus vous embrasser, hier soir.

— Oui, à travers la fenêtre de la cuisine, précisa Scott, pratique.

Devant l'air hagard des deux adultes, ils se mirent à rire.

— Vous comprenez, dit Scott très sérieusement à Neil, maman n'embrasse pas les hommes aussi facilement.

— Pas comme ça, en tout cas !

— Aussi, nous avons compris que vous étiez quelqu'un de très spécial.

— Et qu'est-ce qui est plus spécial qu'un père ?

Neil leva les yeux vers Lacey.

— Leur logique est implacable, déclara-t-il en souriant.

— Alors, nous avons raison ? s'impatienta Todd.

Neil les regarda tour à tour et cessa de sourire.

— Oui, fit-il enfin d'une voix légèrement tendue. Je suis votre père.

Lacey avala péniblement sa salive. Comment les garçons allaient-ils réagir ?

Elle fut immédiatement rassurée. Les jumeaux se regardèrent en riant, ravis.

— On avait raison !

— Chic, alors !

Avant que Neil soit revenu de sa surprise, ils se jetèrent dans ses bras, grimpant sur ses genoux, s'accrochant à son cou.

— Ils sont très affectueux, dit Lacey à Neil qui l'observait d'un air curieux.

Sa placidité sembla le soulager et Lacey réalisa alors qu'il avait eu peur qu'elle s'offusque des marques d'attentions que lui prodiguaient les enfants. Cette découverte, sans qu'elle sache trop pourquoi, faillit la faire pleurer. Mais Neil, bombardé de mille questions par les jumeaux, ne s'en aperçut pas.

— Vous allez vivre ici avec nous?

— Non, répondit-il en jetant un regard sombre à Lacey. Je viens juste d'acheter une ferme à la campagne.

— Une ferme! Avec des cochons et des poules?

— Et des vaches?

— Et des chevaux?

— Oh, oui! Des chevaux! Il y aura des chevaux, papa?

Papa! Lacey le vit frissonner longuement. Il réussit pourtant à répondre d'une voix assurée.

— Pour l'instant, il n'y a rien de tout cela. C'est une très vieille ferme où personne n'a habité depuis longtemps. Je vais devoir y faire beaucoup de travaux.

— Pourrons-nous aider? Je suis très fort, je sais enfoncer les clous sans me taper sur les doigts.

— Si nous aidons, ce sera terminé plus tôt et nous aurons alors des chevaux.

Neil s'efforça de conserver son sérieux, mais ses yeux étaient devenus rieurs.

— Savez-vous vraiment vous servir d'un marteau?

Ils hochèrent vigoureusement la tête.

— Dans ce cas... Bon, vous serez mes aides charpentiers. Je vais voir avec votre mère comment nous pouvons nous arranger pour que vous veniez travailler à la ferme. Si je dois acheter des chevaux, il faudra réparer rapidement la grange.

Cette promesse les fit hurler de joie.

Neil dîna avec eux et les garçons insistèrent pour qu'il les mette au lit lui-même.

— Tu viendras demain, n'est-ce pas, comme tu as promis? demanda Todd d'un air anxieux.

— Je serai là, le rassura gravement Neil. Soyez prêts tôt et mettez de vieux vêtements.

— C'est entendu. Bonsoir, papa.

— Bonsoir, papa!

— Bonsoir, les enfants. Dormez bien. Je vous verrai demain matin.

Lorsque Lacey vint le rejoindre dans le salon, il regardait une photo représentant les garçons à l'école. Il lui tendit les bras.

— Viens. J'ai besoin de te serrer contre moi.

Lacey se blottit contre lui sans l'ombre d'une hésitation. Elle savait que Neil était en proie à des émotions qu'il n'avait encore jamais expérimentées. Elle lui caressa doucement le dos pour l'aider à se calmer.

— C'est incroyable, ils m'ont accepté ! murmura-t-il après un instant. Je ne mérite pas deux petites merveilles comme eux.

— Je sais ce que tu ressens. Quelquefois je les regarde et n'arrive pas à croire que ce sont mes enfants. Tu t'es conduit avec eux comme un chef.

— C'est vrai ?

— Oui, mais tu les gâtes trop. Des chevaux, Neil, ce n'est pas sérieux !

— Oh, ce ne seront que des poneys pour commencer. Ils sont encore si petits.

Devant le regard sévère de Lacey, il sourit.

— D'accord, je promets de ne pas les couvrir de cadeaux. Je vais plutôt commencer par gâter leur mère.

— On ne m'achète pas aussi facilement...

Se penchant, il l'embrassa tendrement dans le cou.

— Le cadeau que j'avais en tête ne coûterait pas un centime, murmura-t-il. N'es-tu pas curieuse de savoir de quoi il s'agit ?

Le contact de ses lèvres sur sa peau la faisait frissonner. Elle le repoussa doucement.

— Désolée, mais je ne suis pas intéressée, dit-elle d'un ton léger. Ne ferais-tu pas mieux de rentrer chez toi ? La journée va être dure, demain.

Neil l'observa un instant en silence.

— Tu es sûre de ne pas vouloir te joindre à nous ?

Lacey secoua la tête.

— Il vaut mieux que tu sois un peu seul avec eux.

— Tu me fais confiance en ce qui les concerne, mais pas pour toi, déclara-t-il d'un ton amer.

Lacey baissa les yeux pour ne pas lui laisser voir les émotions qui la tenaillaient.

— S'il te plaît, Neil, ne recommence pas.

Il la reprit brusquement dans ses bras.

— Je t'aime, Lacey ! Cela prendra le temps qu'il faudra, mais je te forcerai à le croire !

Il l'embrassa alors avec une violence qui lui coupa le souffle, et Lacey découvrit avec stupeur qu'elle désirait lui rendre ce baiser avec la même intensité. Elle détourna alors la tête d'un geste brusque, alarmée. Elle n'avait plus peur de lui, maintenant, mais bien de ses propres réactions. Malheureusement, Neil ne pouvait le deviner.

Il prit soudain un air triste et laissa tomber ses bras le long de son corps.

— Je ne voulais pas me montrer aussi brutal, déclara-t-il d'une voix sourde. Tu ne m'en veux pas trop ?

Lacey parvint péniblement à lui sourire.

— Non. Mais j'aimerais que tu t'en ailles.

Ses épaules s'affaissèrent légèrement et il se dirigea vers la porte. Arrivé là, il se retourna, la main sur la poignée.

— Je passerai vers huit heures. Ce ne sera pas trop tôt ?

— Les garçons seront prêts, répondit-elle.

Neil hocha la tête et sortit. Dès qu'elle entendit la jeep s'éloigner, Lacey se laissa tomber dans un fauteuil. Elle tremblait, soudain trop faible pour que ses jambes la supportent. Mais cette réaction ne venait pas de la peur que Neil lui avait inspirée si longtemps...

CHAPITRE SEPT

Neil apporta la même volonté à se montrer bon père que celle qu'il avait montrée pour réussir en affaires. La semaine n'était pas écoulée qu'il commença à arriver dans la journée chez Lacey, relevant Mme Moore pour s'occuper lui-même des enfants. Lacey se demanda plus d'une fois comment il pouvait surveiller les travaux à la ferme sans jamais y être. Elle s'en expliqua la raison en se souvenant qu'il n'était pas bricoleur. Il avait vraisemblablement engagé de bons ouvriers pour mener à bien les travaux.

Il passait beaucoup de temps en plein air. A la fin de la semaine, il était déjà presque aussi bronzé que les jumeaux. Il sembla à Lacey qu'il avait retrouvé sa forme d'antan. Son corps paraissait plus musclé dans les vêtements de travail qu'il portait maintenant en permanence.

Les garçons l'adoraient. Chaque soir ils discutaient longuement de ce que papa avait dit ou fait, sans que, contrairement à ses craintes, elle se sente jalouse. Le fait que leur père soit là la rendait au contraire heureuse. Quant à Neil, il ne se tenait plus de joie.

Le travail de Lacey l'occupait tellement qu'elle ne voyait presque pas Neil. La plupart du temps, elle le trouvait à la maison en rentrant du bureau, mais il refusait alors obstinément de rester à dîner. Lacey prit l'habitude de ne pas insister. Neil voulait certainement lui laisser le temps de s'accoutumer à sa présence, de décider de ce que seraient leurs futures relations, pendant qu'il développait les siennes avec ses fils. Pour le moment, il se contentait de l'amitié qui croissait entre eux. Il les conduisit même un jour à l'entraînement, sans le dire à Lacey. Elle ne l'apprit que quelques jours plus tard lorsque Paul s'arrêta à midi à son bureau pour l'inviter à déjeuner.

— Vous nous avez manqué, hier à l'entraînement, annonça-t-il lorsqu'ils furent installés dans un coin tranquille du restaurant.

— Mon Dieu ! J'avais complètement oublié. J'ai eu tant de travail. Comment les enfants ont-ils fait pour ne pas m'en parler ? Eux qui aiment tant le football.

— Ils ne vous en ont peut-être rien dit, mais ils étaient bien là... avec leur père.

— Avec Neil ?

— Oui. Et il est resté jusqu'au bout, ne regardant que moi. J'ai eu l'impression qu'il me jaugeait, qu'il désirait savoir contre qui il allait devoir se battre.

— Oh, Paul, je suis désolée ! Je n'aurais pas cru qu'il aille jusque-là.

— Ne vous excusez pas, Lacey. Si j'étais à sa place, j'aurais fait la même chose. Mais savez-vous le plus curieux ? S'il n'était votre mari, je pense que je m'en ferais facilement un ami.

— Vous n'êtes pas sérieux, n'est-ce pas ?

— Absolument. C'est un homme sur qui on doit pouvoir compter. Il est franc, c'est une qualité très importante.

Paul se pencha et sourit.

— C'est également un homme qui ne possède pas des trésors de patience, Lacey. D'après ce que vous m'avez raconté j'imagine qu'il désire reprendre la vie commune avec vous, et j'ai l'impression que vous n'êtes guère pressée d'en arriver là.

Il hésita un instant.

— Je n'ai pas le droit de me mêler de vos affaires, mais...

— Dites ce que vous avez sur le cœur, Paul. Après tout, c'est moi qui vous ai parlé de mes problèmes la première.

— Dans ce cas... Je pense que vous êtes injuste avec lui, Lacey.

— Injuste ? Moi !

Elle n'arrivait pas à y croire !

— Parfaitement. Je ne sais ce qui a causé votre séparation, cela ne me regarde pas. Il vous a blessée profondément et vous en avez terriblement souffert pendant huit ans. Mais vous ne pouvez lui en vouloir le reste de votre vie, Lacey. Il suffit de le regarder vivre une minute avec ses fils pour se rendre compte de l'amour qu'il leur porte, de l'importance qu'il attache à être un bon père pour eux...

— Je ne le nie pas, Paul, le coupa-t-elle. Il les adore et c'est réciproque. Je vais même vous dire mieux... Je ne pensais pas que les garçons l'accepteraient si facilement et si vite. Je suis heureuse de cet état de choses, très heureuse. Mais ses relations avec eux n'ont rien à voir avec ce que je ressens pour lui. Les jumeaux ne connaissent que le Neil Hartmann qu'ils ont rencontré la semaine dernière, alors que je me souviens de l'autre, celui qui pouvait être brutal, dur et totalement dénué de scrupules.

— Et il vous semble impossible qu'il puisse avoir changé ? demanda Paul d'un ton impatient. Il est déjà arrivé plus étrange, Lacey. Bien des années se sont écoulées depuis que vous n'avez revu le Neil Hartmann que vous décrivez. Qui peut dire ce qui s'est passé en lui tout ce temps-là ? Ne laissez pas les mauvais souvenirs obscurcir votre jugement, Lacey.

L'homme que j'ai vu hier peut sans doute se montrer parfois dur, mais il ne sera jamais brutal ou dénué de scrupules.

Il se redressa et soupira, comme s'il en avait dit plus qu'il ne désirait.

— Je ne fais que vous donner l'opinion d'un homme, ajouta-t-il, rien de plus. Il me semble qu'il a été honnête en vous avouant immédiatement ce qu'il désirait, ce qu'il attendait de vous. Vous lui devez la même honnêteté, Lacey ! Si vous n'avez pas l'intention de reprendre la vie commune, signifiez-le-lui sans détours.

Lacey lui lança un regard où se lisait une grande curiosité.

— Une question, Paul, fit-elle lentement. Si je disais cela à Neil, qu'adviendrait-il exactement de notre amitié, à vous et moi ?

Il haussa les épaules de manière éloquente et sourit.

— Puisque je vous demande d'être honnête, je vais l'être à mon tour, Lacey. J'aimerais beaucoup avoir une liaison avec vous, mais je ne suis pas prêt pour le mariage et les servitudes qu'il réclame. Un jour, peut-être... lorsque j'aurai fait tout ce que j'ai en tête, vu tout ce que je désire voir, mais pas maintenant. Cela répond-il à votre question ?

Lacey retroussa légèrement les lèvres.

— Parfaitement, répondit-elle d'un ton froid.

— Et vous m'en voulez, n'est-ce pas ? Je viens de vous décevoir, non ?

— Pas du tout. Vous êtes ce que vous êtes et vous ne m'avez jamais déçue. Je souhaitais simplement que nous en parlions une bonne fois afin d'éviter tout malentendu. Voyez-vous, Paul, une liaison ne me conviendrait jamais, je ne suis pas faite pour cela. Pas plus avec vous qu'avec un autre. Je ne veux plus.

Paul leva les bras au ciel.

— Nous sommes au moins d'accord sur une chose, soupira-t-il en riant. Notre désaccord ! C'est dommage car nous nous entendions à merveille. Comme je vais envier votre mari lorsqu'il vous séduira de nouveau !

— Ce n'est pas encore certain, Paul.

A son sourire, Lacey devina que, pour lui, ce n'était plus qu'une question de temps.

Elle pensait encore à leur conversation lorsqu'elle regagna la maison ce soir-là, après une journée épuisante. Les garçons se trouvaient avec Mme Moore et Lacey fut rassurée de la voir. Elle-même avait un rendez-vous et était déjà en retard.

— Mais je ne pourrai rester ! lui déclara Mme Moore lorsqu'elle la remercia.

— Comment ? Mais...

— Ne vous souvenez-vous pas ? Ma nièce et son mari viennent dîner ce soir. Je vous en ai parlé la semaine passée.

Lacey soupira.

— Cela ne fait rien. Après tout, ce repas au Club n'est pas si important.

— Les enfants ne vous ont rien dit ? Ils ont téléphoné à leur père et il va venir les garder. Vous voyez, vous pourrez assister à votre réunion quand même.

Elle détacha son tablier et sourit à Lacey.

— Il faut que je parte. A lundi.

Après son départ, Lacey alla rejoindre les garçons dans le jardin. Ils jouaient au ballon.

— C'est vous qui avez téléphoné à votre père ? leur demanda-t-elle d'un ton accusateur.

— Bien sûr, maman. Nous étions certains qu'il serait d'accord. Tu es fâchée parce que nous ne t'avons pas demandé d'abord ?

— Fâchée ? Non, je ne le suis pas. Mais je pense que vous ne devriez pas vous imposer ainsi. Il vous a amenés à la ferme tous les jours, cette semaine, et il a sans doute envie d'être un peu seul. Il avait peut-être fait des projets pour sa soirée...

— Mais non ! répondit Scott. Il n'avait qu'un mauvais livre d'espionnage à se mettre sous la dent.

— Et comment saviez-vous à quel numéro l'appeler ? Vous a-t-il dit à quel motel il était descendu ? Je peux peut-être encore l'y joindre pour le prévenir de ne pas se déranger.

Les garçons échangèrent un regard exaspéré.

— Papa n'habite pas dans un motel, dit Scott d'un ton patient.

— Il a une si belle maison, ajouta Todd.

— Vous voulez dire qu'il habite à la ferme ! Mais c'est de la folie, l'endroit tombe en ruine, il n'y a pas de meubles, même pas de lit !

— Il n'en a pas besoin.

— Il a un sac de couchage.

Lacey essaya de s'imaginer Neil dans un sac de couchage mais n'y parvint pas.

— Maman ?

C'était Scott, inquiet.

— Papa nous a assurés qu'il serait enchanté de nous garder. Tu as toujours l'intention de lui demander de ne pas venir ?

Lacey croisa deux regards désolés et s'en voulut. Au fond, elle avait surtout peur que Neil ne s'installe avec eux. Comment, dans ce cas, le déloger ?

— Bon, c'est d'accord, mais...

La sonnette de la porte d'entrée l'empêcha d'aller plus loin.

Les garçons se précipitèrent et, lorsque Lacey revint du jardin, ils introduisaient Neil dans la cuisine. Il riait de bon cœur.

Lacey sentit son cœur battre plus vite.

— Bonsoir, fit-il en lui souriant. La « baby sitter » est arrivée.

— Les garçons n'auraient pas dû te déranger ainsi, répondit-elle d'une voix étranglée.

Pourvu que Neil ne s'aperçoive pas de son état de nerfs !

— Je viens d'apprendre qu'ils t'avaient appelé, ajouta-t-elle pour rompre le silence.

— Cela ne me dérange pas, au contraire. Je leur dois bien cela, après tout le travail qu'ils ont fait pour moi dans la semaine.

Il leva un sourcil interrogateur.

— A quelle heure commence ta réunion ?

Lacey consulta sa montre et sursauta.

— Dans une demi-heure. Si je ne me dépêche pas, je vais être en retard. Le réfrigérateur est plein, le repas est prêt. Les enfants savent où tout se trouve.

Elle passa devant lui et alla chercher ses chaussures dans le salon. De là, elle entendit Neil ordonner aux garçons de mettre la table. Il prenait son rôle de père très au sérieux et cela la fit sourire.

— Tu as l'air fatiguée.

Lacey sursauta et se retourna. Neil se tenait sur le seuil et l'observait.

— C'est vrai. La journée a été dure.

— Pourquoi, dans ce cas, ne pas annuler cette « dînette » et rester à la maison ?

— Cette « dînette » se trouve être une réunion de femmes d'affaires travaillant à l'amélioration des services communaux. Et j'en suis la présidente. Combien de réunions as-tu manquées lorsque tu te sentais fatigué ?

— C'est différent. J'avais mes affaires, il était important que je garde le contact.

— Et que penses-tu que je fasse ? cria-t-elle, furieuse. T'imagines-tu un instant que c'est pour mon plaisir ? J'ai également une société, au cas où tu l'aurais oublié. Elle me permet de vivre, d'élever mes enfants et de payer ma maison et la voiture que tu aperçois dans l'allée. Crois-tu que parce que je suis une femme, je suis incapable de me lancer dans

un projet sérieux ? Bien sûr, pour toi, toutes ces
activités ne sont qu'amusements...

— Mais non, mais non, répondit-il d'un ton
impatienté. Mais quand trouves-tu le temps de
t'occuper des enfants ? Tu ne les vois pas une heure
par jour et...

Lacey le coupa, la voix sifflante, folle de rage.

— Serais-tu en train de m'expliquer que je suis
une mauvaise mère, Neil ? Il y a sept ans que je leur
sers à la fois de mère et de père, et c'est toi qui oses
me faire la morale !

Pensait-il qu'elle n'aurait pas préféré consacrer
plus de temps aux enfants ? Et s'il lui avait fallu
travailler tant, voler de précieuses minutes sur ses
heures de bureau pour les voir un peu, à qui la
faute ? Lacey savait bien que ce n'était pas suffisant,
et de loin, mais cela donnait-il le droit à Neil de la
critiquer ? C'était facile de faire l'exigeant quand on
menait une vie de luxe !

— Je ne t'accuse en rien d'être une mauvaise
mère, Lacey, dit-il calmement. Si l'on considère le
peu de chances que tu avais de réussir ton pari de les
élever seule, on peut dire que tu as accompli un
miracle. Les garçons sont parfaitement équilibrés et
heureux. Tu as été au contraire une merveilleuse
mère et je me doute que cela n'a pas dû être aisé
tous les jours. Mais enfin, comprends-moi !

Sa voix monta soudain d'un ton, se fit véhémente.

— Il y a des choses plus importantes qu'une
carrière et les joies égoïstes qu'elle procure ! Le
prestige et le respect ne remplacent pas la chaleur
humaine et l'affection. Tout l'argent du monde n'est
rien à côté d'un peu d'amour !

Lacey lui jeta un regard stupéfait. Etait-ce bien
Neil Hartmann qui parlait ainsi ? Le même Neil
Hartmann qui avait été si occupé par ses affaires
qu'il n'avait pas même eu le temps de l'emmener en
lune de miel ? Le Neil Hartmann qui déjeunait d'un

sandwich sur le coin de son bureau, lorsqu'il y
pensait, pour s'éviter de perdre une précieuse demi-
heure ?

Elle secoua la tête.

— Mais je sais tout cela, Neil !

— Vraiment ?

Pas un instant il ne sembla la croire.

— Oui, vraiment ! Ma carrière ne m'obsède pas.
Elle m'occupe énormément, certes, mais pas au
point de me faire oublier mes enfants. Deux fois par
an, qu'il pleuve ou qu'il vente, clients ou pas, je
prends des vacances avec les garçons. Pour les
garçons ! Ils comptent plus pour moi que n'importe
quelle carrière.

— Je le sais bien, grommela-t-il. Mais…

Sa voix s'éteignit soudain et il lança à Lacey un
regard qui la bouleversa.

— Lacey !

Le désir, la passion, un besoin intense… résonnè-
rent dans ce cri si bref, et ce fut plus que les nerfs de
Lacey purent supporter. Elle eut brusquement très
peur. Cet appel ne risquait-il pas de la troubler plus
qu'il n'était raisonnable ? Pour se donner une contenance, elle jeta un coup d'œil à sa montre, grommela
une excuse et s'enfuit à toutes jambes.

Après sa journée surchargée de travail au bureau
et sa dispute avec Neil, Lacey s'attendait plus ou
moins à terminer la soirée de façon catastrophique.
Elle arriva à la réunion de fort méchante humeur.
Curieusement, tout se déroula pourtant le mieux du
monde.

Maudit soit Neil ! Une dînette !

S'il avait pu se rendre compte de l'énorme travail
qu'elle et ses compagnes accomplissaient. Mais non,
il préférait jouer à la nurse ! C'était si nouveau pour
lui. Monsieur et ses fils !

« Nos fils », se reprit-elle en se calmant tout à fait.

Ils l'aimaient tant. Et lui en était fou. Il y avait tellement de joie dans son regard lorsque celui-ci se posait sur les enfants ; du bonheur et de l'étonnement, comme s'il n'arrivait pas encore à croire qu'ils étaient vraiment à lui. Il était suspendu à leurs lèvres, les observait sans jamais en être rassasié, cherchait mille excuses pour les toucher, les caresser. Les garçons étaient moins réticents. Ils n'avaient pas besoin d'excuses pour se jeter dans ses bras, grimper sur ses genoux ou se serrer contre lui.

Lacey ne put s'empêcher de sourire, malgré le sérieux des débats, s'attirant plus d'un regard curieux de la part des autres participantes. Si elle avait pu se voir à cet instant, elle serait morte de confusion. Il y avait tant d'amour dans son regard !

Il était presque neuf heures lorsqu'elle arriva chez elle. La télévision était branchée dans le salon et elle s'y rendit, s'immobilisant soudain sur le seuil à la vue du spectacle qui s'offrait à sa vue.

Neil était assis sur le canapé, un bras passé autour de chacun des jumeaux qui dormaient à poings fermés, déjà vêtus de leurs petits pyjamas. Il leva les yeux et sourit en l'apercevant.

— Que signifie cette orgie ? lui demanda-t-elle à voix basse d'un ton amusé.

— Il ne faut pas leur en vouloir, le programme m'intéressait autant qu'eux. Comment s'est passée la réunion ?

— Très bien, chuchota-t-elle avant de se mettre soudain à rire.

Cette façon de murmurer sous son propre toit était toute nouvelle pour elle.

— Prends Scott, ajouta-t-elle, je prendrai Todd.

— Non, reste ici. Je ferai deux voyages.

— Tu sais, j'ai l'habitude de les porter.

Lorsque les garçons furent couchés, Neil lui prit la main et la reconduisit au salon.

— Assieds-toi, lui ordonna-t-il gentiment. Ton repas est au chaud.

Lacey se laissa aller avec un long soupir sur le canapé pendant que Neil quittait la pièce. Il revint presque aussitôt, portant un plateau, et s'assit dans un fauteuil pour la regarder manger. Lorsqu'elle eut fini, il emporta le plateau dans la cuisine.

A son retour, il s'installa sur le canapé, à ses côtés, se pencha, prit ses jambes et les posa sur ses genoux. Lacey se raidit, nerveuse, mais il se contenta de masser lentement ses pieds.

— Les femmes sont folles. Comment peut-on circuler sur de tels échafaudages sans se rompre le cou ?

Du regard, il indiqua les sandales à talons hauts qu'elle venait d'abandonner sur le tapis.

— Nous sacrifions le confort à la mode, répondit-elle en soupirant d'aise.

— Tu devrais prendre un bon bain chaud.

Il se mit soudain à rire et elle l'interrogea des yeux, surprise.

— Nous ressemblons à un vieux couple vivant dans un monde à l'envers, dit-il, amusé. Un monde où les hommes feraient le ménage et où les femmes tiendraient d'importantes réunions.

— C'est un peu vrai. Tes reproches, tout à l'heure, ressemblaient à ceux qu'adresse une épouse acariâtre à son mari volage. Et lorsque je suis entrée, tu n'as pas manqué de me demander comment s'était passée ma réunion.

— Et je t'ai même servi le repas devant la télé !

— Si on m'avait annoncé que Neil Hartmann se transformerait en homme d'intérieur, je ne l'aurais pas cru. Si cela continue, tu vas aussi te mettre au lavage et au repassage !

— Qui sait ?

Ses mains, maintenant, massaient ses mollets

fatigués, mais Lacey ne pensa pas un instant à se dégager. Elle était si bien !

— Je suis désolé pour ce que je t'ai dit avant ton départ, déclara Neil. Tu comprends, j'aimerais être celui qui s'occupe exclusivement de vous, celui dont vous dépendez pour vivre. Je commence seulement à réaliser que ce n'est pas possible. Tu as vécu seule trop longtemps pour accepter de te tourner aujourd'hui vers un bras secourable.

— Le comprends-tu véritablement, Neil ? Te rends-tu compte enfin de ce que mon indépendance représente pour moi ? Peux-tu accepter le fait que je sois capable de subvenir à mes besoins et à ceux des garçons ? Sens-tu la fierté que j'en tire ?

— Je crois, oui, murmura-t-il avant de lui lancer un coup d'œil narquois.

— Je ne dis pas que cela me plaît, mais je l'accepte. Mais comme je ne peux acheter ton affection, comment vais-je m'y prendre pour te persuader que tu serais plus heureuse encore avec moi ?

Il sembla soudain à Lacey qu'elle était arrivée à un tournant de sa vie, que ce qu'elle allait dire changerait son existence du tout au tout. Sa peur céda la place à un sentiment de joie qu'elle n'avait pas connu depuis des années. Son cœur se mit à battre plus vite, ses yeux à briller.

— Qu'est-ce qui te fait penser que tu as besoin d'offrir autre chose que toi-même ? murmura-t-elle d'un ton légèrement étranglé.

Neil n'eut pas l'air de prendre l'invite au sérieux.

— Je ne crois pas que ce soit assez. La dernière fois...

Lacey lui coupa la parole d'un geste impulsif, en posant une main ferme sur son bras.

— C'était il y a bien longtemps, Neil.

Il leva la tête lentement. Dans ses yeux brillait une lueur prudente. Il ne dit rien et Lacey lui en sut gré.

Des mots auraient probablement ruiné le fragile
équilibre et le charme étrange qui les unissaient. Il se
pencha vers elle doucement, si doucement qu'elle
s'en impatienta, jusqu'à ce que leurs lèvres ne se
trouvent plus qu'à un ou deux centimètres les unes
des autres. Lacey sut alors que c'était maintenant à
elle de faire le prochain pas. Elle n'hésita qu'un
instant avant de se pencher à son tour et d'annuler la
distance qui les séparait.

Lorsqu'elle ouvrit les yeux, ils étaient allongés sur
le canapé, face à face. Un des bras de Neil entourait
sa taille, la maintenant tout contre lui. De sa main
libre il caressait tendrement son visage. Après avoir
déposé de petits baisers sur ses joues et son front, il
s'écarta légèrement pour mieux la contempler.

— As-tu peur ?

Lacey l'assura que non.

— Seulement un peu nerveuse, ajouta-t-elle en se
passant la langue sur ses lèvres sèches.

Neil toucha du doigt l'endroit qu'elle venait d'hu-
mecter.

— Sais-tu que tu es très provocante ?

Les yeux de Lacey s'écarquillèrent.

— Je n'essayais pas de te provoquer !

— Chut ! Je me moquais. Calme-toi...

— C'est facile à dire !

Pourquoi se sentir ridicule dans les bras de son
mari ? Etait-ce parce qu'elle n'arrivait plus à le
considérer comme tel ?

Le visage de Neil se fendit d'un large sourire.

— Si tu peux plaisanter dans un moment pareil,
c'est que tout n'est pas perdu.

Il passa l'autre bras autour de sa taille.

— Surtout ne t'affole pas, murmura-t-il. Je vais
t'embrasser, t'embrasser vraiment, comme j'en ai
envie depuis que tu es revenue, ce soir, et que je t'ai
aperçue sur le pas de la porte, les pieds nus.

Sa bouche était si chaude, si ferme, si parfaite !

Lacey prit sa tête dans ses mains et s'abandonna tout à fait, prise dans un tourbillon de sensations oubliées. Les bras de Neil ! Le seul abri dont elle eût besoin...

Elle tremblait de tous ses membres lorsqu'il libéra enfin sa bouche et se mit à embrasser fièvreusement son visage et son cou.

— Comme tout cela m'a manqué ! Mais tu trembles !

Il semblait si désolé que Lacey s'empressa de le rassurer.

— Ce n'est rien. Tout va bien.

— Tu en es sûre ? Vraiment ? Dans ce cas, nous allons rester ainsi un moment. Te sens-tu bien au moins ?

— Physiquement ou moralement ? demanda Lacey d'un ton moqueur.

— Je t'aime tant !

Il semblait sincère. Si humble ! Lacey retint son souffle, ses yeux s'emplirent de larmes. Elle sentit Neil se raidir.

— Qu'y a-t-il ? demanda-t-il brusquement.

Elle tenta de sourire, mais sans grande conviction.

— Rien. Je crois que je commence à te croire.

— Crois-moi, Lacey ! Je dis la vérité ! s'écria-t-il d'une voix tremblante.

Il se tut un instant avant de poursuivre :

— Serais-tu convaincue si je te le répétais sans cesse ?

Avant qu'elle ait le temps de répondre, il se remit à l'embrasser tout en affirmant, entre deux baisers, qu'il l'aimait.

— C'est un véritable siège en règle ! feignit-elle de s'indigner lorsqu'il se calma un peu.

Ils restèrent un long moment sans parler, blottis l'un contre l'autre.

Soudain, Neil jura à voix basse.

— Qu'y a-t-il, Neil ?

— J'ai oublié de te dire que Mme Moore avait téléphoné pendant ton absence. Sa nièce repart demain pour Chicago et l'a invitée pour une semaine. Je l'ai assurée qu'elle pouvait partir sans crainte.

— Quoi ? Mais Neil, je ne trouverai jamais quelqu'un pour la remplacer en si peu de temps !

— Et Neil Hartmann, l'homme d'intérieur ?

Lacey faillit lui déclarer qu'il était fou, mais se contint à temps.

— Te rends-tu compte de ce qu'il te faudra faire ? Mme Moore ne se contente pas de surveiller les enfants. Elle prépare les repas, s'occupe de leurs vêtements, du ménage...

— Et tu ne m'en crois pas capable ?

— Je n'ai pas dit cela. T'en sens-tu le courage ?

— Sans le moindre doute.

Il se releva soudain et l'aida à s'asseoir à côté de lui, souriant.

— Tu tombes de sommeil. Va te coucher, il est temps que je m'en aille. Au fait, je ne serai pas là demain, ajouta-t-il en se mettant debout.

Lacey lui jeta un petit regard sarcastique.

— Aurais-tu besoin de repos avant même de commencer ?

— Pas du tout ! J'ai une affaire urgente à régler.

Lacey l'accompagna jusqu'à la porte. Neil avait passé un bras autour de ses épaules mais elle ne s'en offusqua pas. Pourtant, vingt-quatre heures plus tôt, ce geste l'aurait mise mal à l'aise. Maintenant, il lui semblait des plus naturels.

— T'ai-je dit que Bob Anderson passerait la semaine prochaine ? demanda-t-il en ouvrant la porte.

— Bob ?

Sa voix ne put dissimuler un certain plaisir. Bob était l'assistant de Neil depuis que celui-ci s'était lancé dans les affaires. Lacey s'était toujours très bien entendue avec lui.

— Oui. Il m'apporte quelques papiers à signer. Il ne restera qu'une journée. Il supervise actuellement la passation de pouvoir entre les acheteurs et mon ancienne équipe.

— J'aurais pensé que tu t'en occuperais toi-même.

— C'est ce qui était convenu. Mais après mon premier voyage ici, je me suis découvert d'autres préoccupations.

Il prit Lacey dans ses bras et l'embrassa gentiment sur le bout du nez.

— J'apprécie ta discrétion, Neil. Je m'attendais à ce que tu me demandes encore de passer la nuit ici.

Neil sourit.

— J'y ai bien un peu pensé, avoua-t-il, mais je n'ai pas voulu tenter le diable. Tout va si bien entre nous.

Il soupira.

— Je vais être si seul dans ma vieille grange déserte !

Lacey se dressa sur la pointe des pieds et approcha son visage du sien, les lèvres entrouvertes en un appel muet. Elle sentit immédiatement les bras de Neil se refermer sur elle et la tiédeur de sa bouche sur la sienne. Lorsqu'ils cessèrent de s'étreindre, ils tremblaient tous les deux.

— Je ferais mieux de partir avant d'oublier mes bonnes résolutions, grommela Neil. A quelle heure dois-je venir, lundi matin ?

— Entre sept heures et sept heures et quart, murmura Lacey en se retenant de rire.

— Sept heures ! Mon Dieu, mais à quelle heure vas-tu travailler ?

— Huit heures juste. Evidemment, si tu ne peux y arriver...

— Je serai là ! J'ai comme l'impression que je me suis jeté dans un piège.

— C'était ton idée, pas la mienne, lui rappela Lacey en riant. Après tout, c'est toi qui as dit à Mme Moore qu'elle pouvait partir chez sa nièce.

— D'accord, d'accord ! Sept heures.

Il soupira.

— Qui peut bien travailler à pareille heure ? C'est encore pratiquement le milieu de la nuit.

Il grognait encore lorsque Lacey le poussa dehors et referma la porte derrière lui. La semaine qui venait serait un bon test pour Neil. S'il était toujours aussi déterminé au bout de sept jours...

CHAPITRE HUIT

Ils se disputèrent plus, la semaine suivante, que pendant tout le temps qu'avait duré leur mariage.

Le lundi, ce fut à propos de l'état où Lacey trouva la maison en rentrant.

— Je rêve ! s'écria-t-elle en pénétrant dans le salon. Qu'as-tu fait ? As-tu passé la journée à réfléchir au moyen de mettre du désordre dans la maison ?

— Ce n'est pas si terrible, se défendit Neil. Nous ne sommes ici que depuis à peine deux heures. Nous avons passé l'après-midi à la ferme.

— Neil, une tornade n'aurait pas causé plus de dégâts ! cria Lacey en lui expédiant un tee-shirt qui traînait sur la table.

Neil l'attrapa d'une main, sourcils froncés.

— Quel caractère ! grommela-t-il. Même si ta journée a été difficile, ce n'est pas une raison pour...

— Ma journée a été parfaite jusqu'à ce que je rentre à la maison ! Aimerais-tu trouver un chaos pareil en arrivant chez toi ?

Le salon ressemblait à un champ de bataille couvert de jouets, vêtements et reliefs du goûter. Neil prit un air gêné sous le regard accusateur.

— D'accord, admit-il enfin de mauvaise grâce, je

reconnais que ce pourrait être plus net, mais ce n'est pas aussi terrible que tu le laisses entendre. Je trouve que je me suis bien débrouillé pour un premier jour.

— Vraiment ?

— Mais les enfants n'étaient même pas habillés lorsque tu es partie, ce matin ! se plaignit-il. Et il a fallu, en plus, que je prépare le petit déjeuner.

— Ne t'avais-je pas prévenu ? Ce sont les vacances d'été, Neil. Pourquoi crois-tu que j'aie besoin d'une aide familiale ? Si je dois tout faire moi-même, et avant sept heures, autant les mettre dans un centre aéré. Mais ils ne verront pas, alors, leurs petits camarades et...

Elle préféra ne pas aller plus loin et tenta de se calmer.

— Que leur as-tu donné pour déjeuner ?

— De la soupe à la tomate et des sandwiches au fromage.

Il avait répondu d'un ton trop sec, peu habitué à être rabroué. Lacey s'efforça, pour ne pas le vexer davantage, de s'adresser à lui d'un ton plus conciliant.

— Avez-vous déjeuné ici ou à la ferme ?

— Ici. La cuisine n'est pas terminée, là-bas.

Lacey soupira.

— Je ferais mieux de préparer le dîner. Tu es invité, si tu le désires. En attendant, si tu n'as rien de mieux à faire, tu peux commencer à ranger le salon !

Elle se dirigea d'un pas vif vers la cuisine, sans attendre de réponse et s'immobilisa brusquement, horrifiée. Sa cuisine ! Sa jolie cuisine immaculée !

— Allons, ne te fâche pas, grommela Neil qui l'avait suivie.

Lacey se retourna d'un bond.

— Dehors ! Quitte immédiatement cette maison avant de l'avoir détruite entièrement !

— Je voulais tout nettoyer, mais nous avons commencé à jouer et...

— Dehors ! Avant que je t'assomme avec une de ces casseroles dégoûtantes ! Comment es-tu arrivé à salir autant de vaisselle en ne faisant qu'un peu de potage et des sandwiches ?

— Une partie date du petit déjeuner, avoua-t-il.

La voyant empoigner une poêle d'un air menaçant, il battit précipitamment en retraite.

— Je m'en vais, je m'en vais. J'espère que tu seras calmée demain matin.

Le jour suivant, elle passa par la maison à l'heure du déjeuner pour voir comment allaient les choses. Elle les trouva tous trois en train d'avaler des cheeseburgers sortis directement du restaurant voisin. Les lèvres pincées, elle ramassa une barquette graisseuse qui avait probablement contenu une portion de frites.

— Je ne nourris pas mes enfants avec des produits immangeables ! tonna-t-elle.

Neil devint livide, se leva d'un bond, la prit par l'épaule et la traîna dans l'entrée.

— Tu n'es donc jamais satisfaite ! Hier tu fais un scandale parce que la cuisine était un peu en désordre...

— Un peu !

— Aujourd'hui, poursuivit-il imperturbable, j'ai acheté le déjeuner pour ne pas salir ta précieuse cuisine et tu n'es toujours pas contente ! Depuis quand les restaurants vendent-ils des produits immangeables ? C'est nouveau !

— On peut tout donner à des enfants à condition de savoir ce qu'il y a dedans. Peux-tu m'affirmer que tu le sais ? Et ces frites qui nagent dans la graisse ! Et ce Coca ! Crois-tu que je roule sur l'or pour pouvoir me permettre de payer d'énormes honoraires de dentiste ?

— Ils ne vont quand même pas perdre leurs dents pour deux verres de Coca ! Quant aux produits de restaurants, parlons-en ! Je ne t'ai pas entendue protester lorsque ton copain Mussolini leur achetait des pizzas !

— Ce fut la première et la dernière fois ! Paul n'achète jamais rien.

— Ah, j'en étais sûr ! Il préfère manger ici gratuitement, sans doute ?

C'en était trop ! Lacey s'avança vers lui, blanche de colère.

— Ecoute-moi bien, Neil. Paul savait que je serais en retard, il n'a fait cela que pour me venir en aide. C'est un garçon qui réalise à quel point il est difficile d'être à la fois mère et soutien de famille, il essayait de se rendre utile !

— Et que crois-tu que je sois en train de faire ? hurla-t-il.

— Parle moins fort ! Si ta façon de te rendre utile consiste à nourrir les enfants de sucre, plein d'additifs chimiques et de Dieu sait quoi, il vaudrait encore mieux qu'ils s'alimentent seuls ! Je n'ai pas l'intention de te laisser ruiner la santé de mes petits pour t'éviter un peu de travail.

— Ruiner leur santé ! s'exclama Neil, stupéfait. Mais tu es paranoïaque, ma pauvre Lacey.

Elle devint écarlate. Depuis un moment déjà elle se rendait compte que Neil avait partiellement raison. Elle exagérait probablement. Malgré cela, elle se refusa à perdre la face.

— Merci beaucoup, répliqua-t-elle. Je suppose que tu préférerais que je m'en moque et donne n'importe quoi à mes enfants. Et s'ils tombaient gravement malades ? Sais-tu que le sucre et les graisses peuvent provoquer des crises cardiaques, le sais-tu ?

Neil devint livide.

— Ce dont tu m'accuses est ignoble ! s'écria-t-il en tournant brusquement les talons.

La vigueur de sa réaction eut le don de calmer immédiatement Lacey.

— Je suis désolée, Neil, mais nous ne pouvons continuer ainsi, déclara-t-elle d'un ton plus posé. Chaque fois que nous nous voyons, nous nous disputons. C'est trop tard, Neil, nous avons trop changé.

Il se retourna d'un bond, hors de lui.

— Ne sois pas ridicule ! T'imagines-tu que les autres couples ne se disputent jamais ? C'est la loi du mariage. Une bonne dispute, puis une réconciliation !

Il se mit soudain à rire.

— Pour les disputes, nous sommes au point. Si nous passions maintenant aux réconciliations ?

Lacey secoua la tête, mais elle ne put s'empêcher de sourire.

La dispute du mercredi fut moins brutale et dura moins longtemps. Elle commença lorsque Lacey, en rentrant, découvrit que Neil avait acheté un jeu vidéo et l'avait branché sur la télévision. Scott et lui, à tour de rôle, combattaient en poussant des hurlements de joie une horde d'extra-terrestres qui s'apprêtaient à envahir la terre. Todd, impatient, attendait de connaître le vainqueur pour l'affronter à son tour.

— Je pensais que tu n'allais pas les gâter trop, dit-elle en entrant dans le salon.

Neil ne se retourna même pas tant il était absorbé.

— Ce n'est qu'un petit cadeau éducatif, murmura-t-il d'un air absent en essayant d'éviter un ennemi.

Il ne fut pas assez rapide et son canon à laser fut détruit par la soucoupe des envahisseurs. Lacey l'entendit jurer à mi-voix.

— Neil !

— Ce n'est rien, maman, dit Scott en levant la tête. Il dit toujours ça quand il perd.

— Oh !

Neil, sentant venir l'orage, se leva en souriant, conciliant.

— Calme-toi. Ils ne répètent pas encore toutes les horreurs que je profère.

— On serait punis, autrement, remarqua Todd en prenant la place de son père.

Lacey éclata d'un rire nerveux qui se transforma bientôt en fou rire. Elle s'avança jusqu'à Neil qui avait du màl à contenir son amusement. Il passa un bras autour de ses épaules et elle se laissa aller contre lui, riant aux larmes.

— Tu es impossible! C'est toi que je devrais punir.

Neil essuya ses larmes du bout des doigts, souriant comme un homme qui possède enfin tout ce qu'il a toujours souhaité et n'arrive pas à y croire.

— Je sais que je suis impossible, dit-il, mais cela fait partie de mon charme. Si nous allions dîner dehors? Je t'invite.

— J'ai une meilleure idée! Pourquoi ne pas nous faire livrer des pizzas?

— Tout à fait d'accord, répondit Neil en se penchant vers elle un peu plus.

Leurs lèvres s'unirent et plus rien n'exista. Lacey entendit leurs deux cœurs battre à l'unisson.

— Tu vois bien, ils ne se disputent pas, ils s'embrassent, s'écria une petite voix.

Neil leva les yeux au ciel.

— Comment voulez-vous que je la charme si vous intervenez sans cesse?

Aussitôt le ronronnement du jeu vidéo reprit de plus belle.

— Ainsi, vous complotez tous les trois contre moi! s'écria Lacey, faussement fâchée. Me charmer, quelle audace!

— Tu m'en veux? demanda-t-il en lui déposant de légers baisers dans le cou.

Lacey faillit pousser un petit gémissement de

plaisir, se souvint de la présence des enfants et se
contint.

— Non, mais je le serai si tu me laisses mourir de
faim plus longtemps.

— Moi aussi, j'ai faim, murmura Neil d'une voix
sourde en la serrant tout contre lui.

— Je parlais des pizzas, précisa Lacey, en proie à
un trouble grandissant.

— Je parlais de toi, chuchota-t-il près de son
oreille.

Il reprit sa bouche avec avidité et se colla contre
elle, lui faisant ainsi sentir toute la violence de son
désir.

— En attendant, reprit-il après quelques instants,
je me contenterai d'une pizza.

Lacey ne sut que répondre. Sous prétexte de
passer la commande au téléphone, elle se dégagea et
s'enfuit, tremblante.

Paul avait raison, la patience de Neil n'était pas
sans limites. La façon dont il venait de l'embrasser et
de la tenir contre lui indiquait clairement qu'il serait
bientôt à bout. D'un jour à l'autre il allait exiger
qu'elle se prononce enfin ; et si Lacey répondait
comme il l'espérait, il s'attendrait certainement à ce
qu'ils reprennent une véritable vie de couple, ce qui
lui donnerait, bien sûr, le droit de lui faire l'amour
quand bon lui semblerait.

Bien qu'il se soit montré doux et tendre jusque-là,
Lacey savait trop bien à quel point il pouvait se
montrer violent parfois, et cette pensée la troublait.
Si elle acceptait d'être de nouveau sa femme, elle ne
pouvait exiger qu'il se restreigne plus longtemps.
C'était le manque de contrôle qui s'ensuivrait qui
l'effrayait. Le souvenir de cette dernière nuit atroce
était encore très vif dans sa mémoire.

Elle se montra calme et un peu distante le reste de
la soirée et Neil sembla le sentir. Il s'occupa de ses

fils. Ce ne fut que lorsqu'ils furent couchés que les choses se compliquèrent.

— Sais-tu que le temps passe vite et que tu ne t'es toujours pas décidée ? dit-il d'une voix calme en passant la main sur sa joue.

Lacey hocha la tête sans répondre. Neil croisa son regard et soupira légèrement.

— Dieu que tu es anxieuse ! Je t'assure que ce ne serait pas la catastrophe que tu crois.

— Qu'en sais-tu ?

— Je sais que je te désire ! Que tu me désires ! Et que tu as encore peur. Je voudrais te rassurer, arriver à ce que tu me croies lorsque je t'affirme que je ne te blesserai plus.

Sa voix se fit soudain plus rude.

— Il va falloir me faire confiance, Lacey. Finalement, lorsqu'on y réfléchit, c'est sur la confiance qu'est bâti le mariage.

— Je t'ai fait confiance une fois...

Pourquoi avoir dit cela, même si elle le pensait ! Le regard de Neil brilla d'une colère froide.

— Je ne te laisserai pas m'adresser ce même reproche le reste de mes jours !

— Je suis désolée, Neil, mais je n'ai pensé qu'à cela toute la soirée.

Il s'éloigna de quelques pas, furieux, et se retourna brusquement pour lui faire face.

— Pourquoi ne pas oublier le passé et ne regarder que vers le futur ?

Lacey resta silencieuse et Neil l'observa un long moment.

— C'en est assez ! éclata-t-il brusquement. J'ai reçu des nouvelles de Bob, aujourd'hui. Il arrive demain matin. Comme je serai occupé avec lui toute la journée, cela te laisse jusqu'à vendredi pour prendre une décision. Après vendredi, je la prendrai pour toi !

C'était la menace qu'elle redoutait tant. Elle lui jeta un regard suppliant qu'il ignora avec superbe.

— Ne t'inquiète pas pour les garçons, lança-t-il d'un ton acerbe en se dirigeant vers la porte, je m'en occuperai comme d'habitude.

Lacey dormit très mal cette nuit-là. Au matin, elle eut bien du mal à cacher les cernes qui entouraient ses yeux sous une couche de maquillage. Si cela continuait, songea-t-elle en se regardant dans le miroir, elle passerait bientôt pour plus âgée que Neil.

A sept heures trente, l'énorme jeep remonta l'allée. Lacey, bien décidée à ignorer Neil, ne lui dit pas un mot. Elle embrassa les garçons, ramassa son sac et sortit.

— Un instant! s'écria Neil en lui emboîtant le pas.

Lacey ne se retourna même pas.

— Je suis déjà en retard, lui lança-t-elle par-dessus l'épaule.

Comme elle essayait d'ouvrir la portière de sa voiture, il la repoussa rudement.

— Que cherches-tu à prouver? lui demanda-t-elle en soutenant sans faiblir son regard. Que tu es le plus fort? Que la nature t'a pourvu de muscles que je ne possède pas et que tu sais t'en servir? Eloigne-toi, Neil!

Neil serra les lèvres mais ne bougea pas.

— J'espérais te convaincre de prendre ta journée et de la passer avec Bob, les enfants et moi.

Lacey leva les yeux au ciel, exaspérée.

— Vraiment? Et que se passera-t-il si je ne vais pas au bureau, y as-tu pensé? Je croyais que tu avais décidé de respecter mon indépendance, Neil.

Elle était si furieuse qu'elle l'aurait giflé. Un instant, elle crut qu'il allait se mettre à hurler à son tour, mais il se contenta de soupirer et retira la main de la portière.

— Je ne peux dire un mot sans que tu en
déformes le sens, dit-il d'un ton désenchanté. Pourquoi te méfier tellement de moi ?

— Comment pourrais-tu t'attendre à autre chose
de ma part ? Tu ne cesses de me bousculer, de me
lancer des ultimatums !

— Et comment faire autrement ? Je ne vais pas
passer ma vie à attendre que tu te décides !

— Tu avais promis de me laisser le temps de
souffler !

— Et tu l'as eu ! Ecoute, Lacey, cessons ce petit
jeu. Tu sais parfaitement que je ne te laisserai plus.
Tu le sais depuis des semaines !

Au fond, il avait raison. Lacey avait de nouveau
confiance en lui. Mais une fierté mal placée l'empêcha de l'admettre.

— Il y a toutes sortes de façons de blesser les
gens, Neil, murmura-t-elle.

Il serra la mâchoire et elle s'aperçut alors qu'elle
avait été trop loin, que son impatience venait de se
transformer en fureur noire.

— L'ultimatum tient toujours, madame Hartmann. J'attends une réponse pour demain matin,
dernier délai. Et pas n'importe quelle réponse !

Sur ces mots, il lui tourna le dos et s'éloigna à
grands pas.

— Vraiment, Lacey, je ne vous ai jamais vue
aussi nerveuse !

Vi se trouvait à la poste et Ellen venait d'entrer
dans le bureau de Lacey, sourire aux lèvres.

— Cela aurait-il un rapport quelconque avec
votre si beau mari ? ajouta-t-elle.

— Plus que vous ne croyez ! répondit Lacey en
grimaçant un pauvre sourire.

— Il cherche à vous forcer la main, n'est-ce pas ?
Cela ne m'étonne guère. J'ai su, dès que je l'ai
aperçu, qu'en apprenant l'existence des garçons il ne

se contenterait pas du rôle de père à mi-temps. Vous vous êtes disputés ?

— Non, pas vraiment. Mais il ne cesse de prendre des décisions pour moi. J'ai jusqu'à demain pour décider « librement » de reprendre la vie commune, autrement il se passera de mon consentement.

Ellen se mit à rire.

— Ne vous avais-je pas dit, la première fois que j'ai entendu sa voix, qu'il était homme à donner des ordres ? Personnellement, je vous trouve folle d'hésiter tant. Tiens, quand on parle du loup...

Le regard d'Ellen venait de se poser sur la silhouette de Neil qui s'approchait de la porte vitrée du bureau.

— J'aimerais bien avoir un tel compagnon ! murmura-t-elle d'un air gourmand.

Lacey fronça les sourcils, mais n'osa la rabrouer de son impertinence. Après tout, Ellen avait raison, Neil était vraiment très beau. Sa vue la troubla plus qu'il était raisonnable.

Elle réalisa soudain qu'il n'était pas seul. S'écartant, il laissa passer les garçons et un homme d'un certain âge vêtu d'un strict complet croisé.

— Bonjour, maman.

— Bonjour, Ellen.

Les jumeaux se précipitèrent sur la calculatrice qui trônait sur le bureau d'Ellen, et Bob s'avança vers Lacey, la main tendue.

— Lacey ! Vous êtes encore plus belle qu'avant !

Il accompagna le compliment d'une embrassade franche et vigoureuse qui fit rougir Lacey de plaisir.

— Quel flatteur, Bob ! Mais je suis ravie de vous revoir. Comment vont Martha et les filles ?

— Bien, très bien. Mes filles ont terriblement grandi. Ce sont des demoiselles maintenant. Et vous ? Lorsque j'ai vu les garçons, j'ai failli tomber à la renverse. En arrivant à la ferme, quand j'ai aperçu Neil entouré de deux petits Neil miniatures...

Lacey posa son regard sur Neil qui les observait en souriant.

— Ils lui ressemblent tant !

Un instant, elle crut que Neil allait parler, mais il se contenta de sourire, béat, certainement ravi de ce qu'il considérait comme un compliment.

— Nous sommes venus t'inviter à dîner ce soir à la ferme, dit-il enfin à Lacey. Les deux petits monstres sont chargés du menu. Nous ne te demandons que d'être parmi nous.

— Ce sera un barbecue, précisa Scott.

— Et nous coucherons sous la tente après, ajouta Todd. Elle est déjà montée et ton sac de couchage est là-bas.

Lacey, du coin de l'œil, vit Neil sourire de façon arrogante. Il savait bien, évidemment, qu'elle ne pouvait refuser ce plaisir aux enfants ou se disputer avec lui devant Ellen et Bob. S'il s'imaginait qu'elle allait passer une nuit sous la tente, même avec les jumeaux pour chaperons, il se trompait tout à fait !

Pendant que Lacey présentait Ellen à Bob, Neil rassembla ses fils et les fit sortir. Quelques instants plus tard, Lacey et Bob l'entendirent klaxonner de manière impatiente.

— Il n'a pas changé ! s'écria Bob. Mais cela ne fait rien, nous aurons le temps de bavarder ce soir.

Lacey eut un mal fou à travailler tout l'après-midi. Si quelqu'un savait pourquoi ces huit années avaient tellement changé Neil, c'était certainement Bob. La jeune femme fit d'immenses efforts pour se concentrer sur sa tâche, mais elle songeait sans cesse à la conversation qu'elle ne manquerait pas d'avoir avec l'assistant de Neil.

En soupirant elle repoussa un tiroir. Vivement la semaine prochaine, qui verrait revenir son vendeur et les deux jeunes femmes qui le secondaient à mi-temps ! Lacey pourrait alors s'occuper mieux des enfants et montrer à Neil qu'elle n'était pas la mauvaise mère qu'il s'imaginait. Elle aurait enfin le temps de sortir avec sa petite famille, de passer de longues heures à paresser avec ses trois hommes...

Trois ? Lacey réalisa soudain qu'au plus profond d'elle-même elle avait déjà pris sa décision. Celle précisément qu'attendait Neil avec tant d'impatience. Finalement la raison l'avait emporté sur l'entêtement. Elle allait vivre avec Neil, comme sa femme, assumant les devoirs et responsabilités que cela impliquait. Et elle lui annoncerait la nouvelle dès ce soir.

Curieusement, et alors qu'elle aurait dû être plus calme, Lacey, à l'idée de passer la soirée et peut-être la nuit avec Neil, se sentit plus tendue encore.

Neil n'était pas un modèle de patience et, une fois qu'elle aurait capitulé, il ne lui laisserait pas un instant de plus. Pour lui, il avait attendu huit années de trop.

Après le travail Lacey passa chez elle pour se changer. Comme il faisait nettement trop chaud pour porter des jeans, elle opta pour des bermudas et un petit haut lui dégageant les épaules. Lorsqu'elle arriva à la ferme, les enfants l'attendaient en trépignant. Ils lui prirent immédiatement la main et l'entraînèrent vers l'arrière de la maison.

— Papa est en train d'allumer le barbecue !

— Oui, mais c'est nous qui ferons la cuisine !

Neil mettait le charbon de bois au feu lorsqu'elle tourna à l'angle de la maison. Elle s'immobilisa et laissa filer les garçons.

Lui aussi portait des bermudas. Et pas de chemise ! Décidément, il avait beaucoup changé. La vue de son torse nu fit monter le sang à la tête de Lacey. Il y avait longtemps qu'elle n'avait contemplé Neil aussi peu vêtu, et la vue de sa longue musculature et de sa carrure puissante la troublèrent un peu. Dès que Neil l'aperçut, il ramassa promptement une chemisette sur le dossier d'une chaise. Il l'enfila et la boutonna jusqu'au milieu du torse. Puis, souriant, il s'avança vers Lacey.

— Pour une telle occasion, il était normal que je mette au moins une chemise !

Son regard s'attarda longuement sur les épaules de Lacey et il ajouta :

— Ta tenue laisse un peu à désirer mais je serai le dernier à m'en plaindre.

La petite lueur qu'elle aperçut dans son regard la fit rougir et l'embarrassa. Neil l'avait vue encore moins habillée, après tout. Avant qu'elle ne trouve à lui répondre, Todd demanda à son père s'il comptait faire visiter la ferme à Lacey maintenant.

— Mais bien sûr !

Son sourire indiquait nettement qu'il devinait l'inconfort de Lacey et en connaissait la raison.

— Occupez-vous de M. Anderson, les enfants.

Bob, installé dans une chaise longue, leur sourit.

— Ne vous inquiétez pas pour moi. Si jamais je m'endors, réveillez-moi au dessert.

Neil conduisit Lacey à la porte de la cuisine.

— La visite commence ici ! annonça-t-il.

Lacey pénétra dans la cuisine, se demandant ce qui l'attendait. Après tout, il n'y avait que deux semaines que Neil avait acquis la ferme, pas assez longtemps pour y faire effectuer les travaux nécessaires.

— Neil !

Plaçant les mains sur ses épaules, il la fit pivoter de façon à ce qu'elle aperçoive chacun des murs.

— C'est une entreprise de Marion qui a travaillé ici. Ils n'ont terminé que cet après-midi. Qu'en penses-tu ?

Lacey resta sans voix. Comment le miracle s'était-il accompli si vite ? Qui eût pu reconnaître dans cette somptueuse cuisine si bien équipée la pièce délabrée qu'elle avait visitée lorsque son agence avait reçu mission de vendre la ferme ?

— Mais cela a dû coûter une fortune, Neil !

Une pensée la frappa soudain.

— J'espère que tu n'as pas fait tout cela pour moi.

— Pour toi ? Mais pas du tout ! J'ai d'abord pensé à moi, à Neil Hartmann, l'homme d'intérieur.

Avant qu'elle ait le temps de répondre, il se dirigea vers le hall, lui prenant la main au passage.

— Viens. Il y a neuf autres pièces à visiter.

La visite du rez-de-chaussée surprit Lacey encore davantage. Une terrible odeur de peinture emplissait l'air. Certains murs avaient été déplacés, d'autres abattus, toutes les fenêtres avaient été remplacées. Comment les ouvriers s'y étaient-ils pris pour faire tant de choses en si peu de temps ? Cela avait dû revenir excessivement cher !

Ils s'engagèrent dans l'escalier.

— J'ai demandé aux garçons de décider eux-mêmes s'ils préféraient des chambres séparées ou non, déclara Neil en s'arrêtant devant la première porte qu'ils rencontrèrent sur le palier de l'étage. A l'unanimité ils ont choisi une seule chambre, à condition qu'elle soit plus grande que celle qu'ils partagent chez toi.

Il ouvrit enfin la porte et entra dans la pièce, Lacey au bras. Celle-ci poussa un petit cri d'étonnement.

— Mais tu as démoli un mur !

— Ce n'était pas très difficile, il ne s'agissait que d'une cloison. Cette partie de la chambre servira de coin à dormir et à étudier tandis que l'autre partie les accueillera lorsqu'ils auront envie de jouer. Plus tard, quand ils seront plus âgés, s'ils se décident à nouveau pour deux chambres, il suffira de remonter la cloison. Ce sont eux qui ont choisi le papier et la couleur de la peinture.

Les yeux de Lacey parcoururent l'immense pièce lentement et elle secoua la tête, incrédule.

— Quand je pense qu'ils ne m'ont pas dit un mot de tout ceci ! s'émerveilla-t-elle.

— Normal, il s'agissait d'une conspiration. Viens voir le reste.

Ils passèrent rapidement devant deux chambres d'amis qui n'avaient pas encore été rénovées et se dirigèrent vers un grand débarras qui se trouvait juste au-dessus de la cuisine. Lacey sentit sa curiosité s'éveiller. A quel usage Neil avait-il bien pu réserver cet endroit si sombre ?

— J'ai gardé le meilleur pour la fin, annonça-t-il en posant la main sur la poignée de porte en bronze. Ses yeux se mirent à briller étrangement.

— Voilà le travail ! s'exclama-t-il en ouvrant la porte d'un coup, un peu comme un magicien tire un lapin de son chapeau.

Si Lacey avait été étonnée par ce qu'elle avait déjà vu, elle fut, cette fois-ci, abasourdie. Deux larges baies vitrées déversaient des flots de lumière dans l'ancien grenier qui avait été transformé, à l'aide de demi-cloisons, en un petit appartement.

— Au fond, la chambre de maître ; au milieu, le vestiaire et la salle de bains ; de ce côté, un salon-boudoir-bureau.

Ce bleu ? N'était-ce pas celui qu'elle avait trouvé sur ses cheveux ?

— Je n'aurais jamais cru que tu puisses faire tout cela, Neil, murmura-t-elle. Et en deux semaines, qui plus est !

Il lui passa un bras autour de la taille et sourit.

— J'ai suffisamment d'ampoules sur les mains pour prouver que j'ai mis la main à la pâte, ma chérie.

— C'est toi qui...

— Evidemment ! Bien sûr, j'ai eu beaucoup d'aide extérieure, mais j'ai participé au maximum. Je voulais pouvoir dire ensuite que ceci était ma

maison et que j'y avais investi mon travail autant que
mon capital.

Neil n'avait pas seulement changé, c'était un autre
homme! Comment expliquer, autrement, ce qu'il
avait accompli? Décidément, il ne fallait plus le
juger sur le passé.

Il mit l'autre bras autour de sa taille et posa sa
joue sur la sienne.

— Cela ne prouve-t-il donc rien? demanda-t-il
d'une voix douce.

Puis, avant que Lacey puisse répondre, il ajouta :

— La partie salon pourrait facilement se transformer en chambre à coucher, dans le cas où la
maîtresse de maison préférerait sa propre chambre.

Sa voix profonde résonna agréablement aux oreilles de Lacey, son souffle tiède effleura sa joue.
Quelque chose se brisa soudain en elle, un peu
comme si la froideur artificielle qui protégeait son
cœur depuis de longues années venait de se fissurer.
Elle laissa aller sa tête sur l'épaule de Neil et sentit
immédiatement qu'il la serrait plus fort. Il attendait
qu'elle parle, qu'elle réponde à l'offre qu'il venait de
lui faire. Lacey le sentit très tendu.

— Si, commença-t-elle en appuyant légèrement
sur le mot, il y avait une maîtresse dans cette
maison, je suis certaine qu'elle préférerait partager
la chambre... et le lit du maître de maison.

Ces derniers mots avaient à peine franchi ses
lèvres qu'elle se sentit attirée brusquement tout
contre lui. Sa bouche était dure, exigeante, ses
mains nerveuses. Il sembla à Lacey que la fissure
s'agrandissait et qu'un flot de lave coulait dans ses
veines. Tendre et brutal à la fois, Neil passa l'une de
ses jambes entre les cuisses de Lacey, provoquant en
elle un élan de passion au moins égal au sien. Ses
mains trouvèrent alors l'échancrure de la chemisette
et se mirent à caresser son torse puissant, comme par
le passé.

— Je sais que je t'ai donné jusqu'à demain et j'ai compris la signification de ce grand « Si », murmura-t-il d'une voix sourde, mais tu ne pourras pas m'empêcher d'espérer.

Le cœur de Lacey battait si fort qu'elle eut du mal à le comprendre. Folle de désir, elle leva son visage vers le sien, lèvres entrouvertes et offertes.

— Oh, Lacey !

La tension qu'il tentait de contrôler tant bien que mal submergea d'un coup sa volonté. Il serra alors convulsivement Lacey contre lui, oubliant ses promesses et l'embrassant avec une violence à couper le souffle.

— Le premier meuble que j'ai commandé pour cette pièce est un énorme lit, dit-il enfin en la laissant reprendre son souffle.

— J'aimerais qu'il soit déjà là ! souffla Lacey, sincère. Oh, Neil, j'ai tellement envie de toi !

Cet aveu sembla le foudroyer. Il se raidit. Ses bras aux muscles d'acier l'emprisonnèrent avec une telle vigueur qu'elle en perdit de nouveau le souffle. Sous sa joue, le cœur de Neil battait à tout rompre, comme s'il s'était emballé. N'en pouvant plus, rendue folle par le désir qui la tenaillait depuis si longtemps sans qu'elle osât l'avouer, Lacey passa une main entre leurs ventres collés l'un à l'autre.

Neil poussa un grognement sourd et elle crut un instant qu'il avait perdu tout contrôle de lui-même, comme elle venait de perdre le sien, mais il trouva dans sa volonté assez de ressource pour la repousser lentement.

— Descendons, dit-il en lui prenant la main. Si nous restons plus longtemps ici…

Ils se dirigèrent alors à pas lents vers l'escalier.

— Les enfants peuvent avoir la tente pour eux, ce soir. Nous installerons nos sacs de couchage sous les étoiles.

Lacey ne répondit pas mais acquiesça d'un petit mouvement de tête.

Lorsqu'ils sortirent de la maison, les jumeaux se précipitèrent sur leur père, lui demandant de les aider à cuire les saucisses qu'ils avaient posées sur le grill. Lacey, abandonnée à regret, alla s'asseoir près de Bob qui observait le trio en souriant.

— C'est un homme différent, remarqua-t-il d'une voix égale.

Enfin, une chance de se renseigner sur ce qu'avait fait Neil pendant ces huit années ! Mais il allait falloir être très prudente et avancer pas à pas dans cette recherche. Bob était en effet très loyal envers Neil et s'il suspectait qu'elle désirait des informations...

— C'est vrai, lui répondit-elle en hochant la tête. Je n'aurais jamais cru qu'il puisse devenir un père aussi merveilleux. Il est toujours si patient à leur égard !

— Je partage tout à fait votre opinion, Lacey. Vous souvenez-vous à quel point Neil pouvait manquer de patience et de tolérance ?

Il soupira et leva les yeux au ciel.

— Mais après ce qu'il a enduré, il n'est pas étonnant qu'il se soit un peu adouci.

Lacey sursauta. Elle brûlait de poser mille questions. Au prix d'un gros effort, elle parvint à adopter un ton léger.

— Neil a bien meilleure mine que lorsqu'il est arrivé ici, remarqua-t-elle d'un ton pensif. Il était si pâle, il semblait si fatigué ! Maintenant il est aussi bronzé et en forme que ses fils. Vous a-t-il dit qu'il avait participé lui-même aux travaux de transformation de la maison ?

Bob hocha la tête et son sourire disparut. Une lueur troublée passa dans son regard.

— Il me l'a dit. Je ne pense pas que ç'ait été une bonne idée. Je sais que les médecins lui ont recommandé de se dépenser, mais j'ai peur qu'il en fasse trop. Vous connaissez Neil comme moi, il est tellement excessif.

Il dévisagea soudain Lacey. Elle était devenue toute pâle.

— Il ne faut pas vous inquiéter à ce point, Lacey. Je suis certain que Neil connaît ses possibilités mieux que quiconque, et même qu'un docteur. Et avec vous pour le surveiller...

Il se mit à sourire de nouveau.

— Une femme a des moyens que ne possèdent pas les médecins pour persuader son mari de se tenir tranquille, n'est-ce pas ?

Le cœur de Lacey battait très vite, maintenant, et elle se sentit brusquement glacée.

— Voulez-vous dire qu'il ne devrait pas faire d'exercice du tout, Bob ?

— Oh, non ! Je vous répète que les médecins le lui ont conseillé plus d'une fois, mais en précisant que cela devait se faire progressivement, pas d'un seul coup. Après tout, son cœur s'est complètement arrêté pendant cette opération de l'estomac, et il a eu cette petite attaque durant sa convalescence... Je crois qu'il n'a jamais eu aussi peur de sa vie, et moi aussi, par la même occasion. Quand j'y repense...

CHAPITRE NEUF

Lacey sentit sa tête tourner. Par bonheur, elle était déjà assise; à cet instant, ses jambes se seraient certainement refusées à la soutenir. Bob observa le changement qui s'était opéré sur son visage du coin de l'œil et se redressa dans son fauteuil de jardin, soudain très inquiet.

— Mon Dieu! grommela-t-il. Vous ne saviez rien de tout cela, n'est-ce pas?

Lacey secoua la tête, incapable de répondre. Elle ferma les yeux et essaya de mettre un peu d'ordre dans ses idées.

— De quelle opération de l'estomac s'agissait-il? finit-elle par demander d'une voix faible.

Bob hésita puis décida certainement qu'il en avait déjà trop dit et qu'il était trop tard pour éluder la question.

— Un ulcère perforé. Cela signifie...

— Je sais ce que cela signifie, l'interrompit-elle d'une voix tremblante. A-t-il été opéré d'urgence ou les médecins s'en sont-ils aperçus à temps?

— D'urgence, évidemment. Tout a commencé après que vous vous fûtes séparés.

Il lui jeta un regard chargé de compassion et poursuivit :

— Je ne connais pas l'histoire mais j'ai toujours

pensé que cette séparation avait été causée en
grande partie par les accusations ridicules de Jason.
En tout cas, Neil ignora tous les conseils, refusa de
se mettre au régime et de moins travailler. En fait, il
se mit à en faire deux fois plus, comme si la
compagnie était devenue sa seule raison de vivre.
Puis un jour, il y a environ neuf mois, il a eu une
hémorragie durant un conseil d'administration.
Nous l'avons transporté à toute vitesse à l'hôpital où
les chirurgiens ont décidé de l'opérer d'urgence. Ce
n'était pas sa première hémorragie, mais il n'en avait
parlé à personne, même pas à son docteur.

Bob hocha la tête tristement.

— C'était un peu comme s'il avait souhaité mourir, murmura-t-il.

Il se tourna vers Neil et Lacey suivit son regard,
hagarde. Elle n'arrivait pas à croire que l'homme
qu'elle voyait si joyeux, en train de faire cuire des
saucisses avec ses enfants, avait été à deux doigts de
mourir quelques mois plus tôt. Elle en eut soudain la
chair de poule. Comment imaginer ce grand corps
musclé dans un lit d'hôpital, relié à ces horribles
machines par des tubes et des fils? Comment
envisager la vie sans lui? Ce qu'avait dit Bob l'avait
terrifiée et elle ferma les yeux, serrant fort les
paupières.

— Lacey? demanda Bob, anxieux.

Elle eut l'impression que sa voix venait de très
loin. Ouvrant les yeux, elle l'aperçut, légèrement
penché vers elle, troublé.

— Il ne m'a rien dit, souffla-t-elle. Pas un mot!
Pourquoi?

— Il ne voulait pas vous inquiéter, répondit Bob
gentiment.

Lacey secoua la tête.

— Non. Il y avait autre chose.

Il y avait une certitude calme dans sa voix qui

étonna le pauvre Bob. Lorsqu'il lui parla de nouveau, ce fut d'un ton chargé de regrets.

— Si jamais il apprend que je vous l'ai dit...

— Rassurez-vous, Bob. Je ne dirai rien, pas aussi longtemps que vous serez ici.

Elle se souvint de la proposition de Neil. Les sacs de couchage sous les étoiles... Tout devenait clair. S'il n'avait pas parlé de son accident cardiaque, c'était pour qu'elle ne s'inquiète pas de sa santé. Comme il la connaissait bien !

Bob s'en alla vers sept heures, alors qu'il restait encore une bonne heure avant la tombée de la nuit. Les jumeaux lui dirent au revoir puis se précipitèrent derrière la maison, là où se trouvait leur petit potager. Bob, lorsque Lacey et Neil l'accompagnèrent à sa voiture, embrassa la jeune femme et lui sourit d'un air rassurant. On sentait qu'il avait encore beaucoup à lui dire mais qu'il en avait décidé autrement. Neil avait passé son bras autour des épaules de Lacey et ensemble ils regardèrent la voiture s'éloigner.

Lorsqu'elle disparut à l'horizon, Lacey se dégagea doucement et se dirigea vers la maison. Neil fronça les sourcils.

— Tu as déjà changé d'avis ? lui demanda-t-il en la rejoignant dans la cuisine.

Il s'installa alors sur une chaise et fit signe à Lacey de s'asseoir sur ses genoux.

— Pas comme tu le penses, répondit-elle sans bouger, énigmatique. Déboutonne ta chemise.

Neil faillit obéir mais se raidit soudain.

— Qu'as-tu en tête ?

— Je désire peut-être te contempler, répondit-elle d'une voix sourde en s'approchant brusquement et en faisant le geste de déboutonner elle-même la chemise.

Neil lui prit la main et l'en empêcha.

— Lacey, il faut que je te dise...

Il s'interrompit et la dévisagea, surpris de son expression hostile.

— Qu'y a-t-il ? Comme tu as changé. Depuis que tu as discuté avec Bob.

Ses yeux se firent suspicieux.

— Continue, l'encouragea Lacey. Serais-tu en train de réaliser que Bob a pu trahir tes petits secrets ?

Elle ne put se maîtriser plus longtemps.

— Enlève ta chemise ! Je veux voir les cicatrices, me rendre compte de ce qu'on t'a fait.

— J'aurais dû m'en douter ! Evidemment, il ne pouvait se taire ! Ecoute, Lacey...

— Je veux voir ! Est-ce donc si épouvantable ? Je sais maintenant pourquoi tu étais si pressé d'enfiler ta chemise lorsque je suis arrivée. Tu aurais dû m'en parler !

Neil se leva et lui prit le visage à deux mains.

— Ce n'est pas si terrible. Je ne t'ai rien dit pour ne pas t'affoler.

— Si ce n'est pas terrible, montre-le-moi !

Neil hésita un moment mais finit par retirer sa chemise sans la quitter des yeux.

— Tu vois, ce n'est rien.

Il voulut se rhabiller mais Lacey l'en empêcha d'un geste. Ses doigts tremblants suivirent un instant la cicatrice blanche qui barrait son estomac.

— Oh, Neil !

— Mais tout va bien ! Je mange tout ce que je veux, n'ai plus à prendre de médicaments.

— Et tu as mangé toutes ces épices, hier soir !

— Que pouvais-je faire ? T'avouer que l'on m'avait à moitié coupé en deux et te rendre folle d'inquiétude ?

Coupé en deux ! Terrifiée, elle se jeta dans ses bras.

— Mais je plaisantais, chérie ! Ne dramatise donc pas tout. Je te promets de me surveiller. Mais toi, promets de ne pas t'affoler pour rien. Cette cicatrice ne m'empêchera pas de te faire l'amour, sois-en certaine. Oh, comme je te désire, Lacey ! J'ai tant envie de toi !

Ses lèvres se posèrent sur sa bouche et Lacey se sentit envahie d'une douce langueur. Il y avait pourtant une chose dont elle devait se souvenir, une raison pour laquelle elle ne devait pas le laisser faire, mais son cerveau lui refusait toute aide. Sans même s'en rendre compte, elle l'enlaça étroitement et se serra tout contre lui.

Ne faisant qu'un, ils marchèrent ainsi jusqu'au salon où ils se laissèrent tomber sur le sofa.

— Voilà qui est mieux, murmura-t-il en la caressant. Laisse-toi aller, Lacey, ne te retiens pas plus longtemps. S'il te plaît, ma chérie !

Lacey céda alors à son envie. Ses mains commencèrent à caresser doucement son dos lisse et musclé et elle eut le plaisir de sentir Neil frissonner sous ses doigts. Sa force redoutable ne l'effrayait plus. Sa masculinité extraordinaire complétait parfaitement sa féminité.

Elle posa la main sur son torse, perçut les battements de son cœur et retrouva la mémoire. Son cœur ! Les yeux écarquillés, elle se leva d'un bond.

— Lacey !

Neil fit le geste de la rattraper mais s'arrêta brusquement.

— Je croyais que tu n'avais plus peur de moi, soupira-t-il.

— Je n'ai pas peur, Neil ! s'écria-t-elle d'une voix tendue, le souffle un peu court.

Neil la regarda un instant, l'air ahuri.

— Qu'y a-t-il, alors ? Tu as peur... Je le sens, je le vois dans tes yeux.

Elle essaya d'avaler sa salive et s'aperçut que sa bouche était sèche.

— C'est ton cœur, parvint-elle à balbutier faiblement.

Neil la contempla, stupéfait.

— Mon cœur ?

Il comprit soudain et ses yeux brillèrent d'une rage
froide.

— Maudit soit Bob ! Avait-il besoin de te raconter aussi cela ?

Il jura à mi-voix et se leva.

— Lacey ! Ecoute-moi, chérie, il faut me croire.
Mon cœur se porte à merveille.

— Il s'est pourtant arrêté durant l'opération,
non ? Et ensuite...

Les doigts de Neil qui s'enfoncèrent dans sa chair
l'empêchèrent de poursuivre. Elle grimaça de
douleur.

— Ce n'était pas mon cœur, Lacey, mais le choc
opératoire et une énorme perte de sang. Il n'y a pas
une chance sur un million pour que cela arrive de
nouveau. Je ne veux pas que tu t'inquiètes pour un
problème qui n'existe pas.

Lacey secoua la tête, pas très convaincue.

— Tu n'en sais rien, Neil. Si cela s'est produit une
fois, pourquoi pas une autre ? Bob m'a dit aussi que
tu étais supposé te refaire une santé graduellement.
Graduellement ! Et à quoi t'es-tu occupé depuis ton
arrivée, tu peux me le dire ? Tu as risqué ta vie en
t'agitant trop ! Tous ces travaux... Mais tu es fou !
Tout cela pour une vieille maison !

— Ce n'est pas une vieille maison, Lacey, mais
notre foyer ! protesta-t-il en la secouant durement.

— Ne t'énerve pas, Neil ! le supplia-t-elle. Pense
à ton cœur.

Un instant, elle crut que Neil allait exploser de
rage.

— L'imbécile ! Mais je vais l'étrangler de mes
mains nues ! Qu'avait-il besoin de te raconter ça ? Je
te jure, Lacey, que mon cœur n'a rien !

Dieu, qu'il était rouge ! Il mentait sûrement...
Comment le croire ? Désolée, Lacey secoua la tête
lentement, pour bien lui faire comprendre qu'elle
n'était pas dupe.

Neil laissa échapper un soupir, la lâcha et se passa
les mains dans les cheveux, comme s'il allait les
arracher.

— J'hésite entre t'étrangler et te traîner sous les
arbres pour te prendre de force, grommela-t-il,
exaspéré. Il y a toujours quelque chose. Maintenant
que tu n'as plus peur de moi, tu as peur pour moi !
Que dois-je faire pour te convaincre ?

Lacey l'écoutait à peine, l'esprit occupé par le
souvenir d'un incident qui ne l'avait pas frappée sur
le moment.

— Le jour où tu es venu à la maison, lorsque tu as
vu les enfants pour la première fois, je t'ai aperçu
prenant un cachet. Qu'était-ce, Neil ? De la digita-
line ? Un autre médicament ?

— Un autre médicament, avoua-t-il à contrecœur. Mais c'était bien la première fois que j'en
prenais depuis l'opération. Je te le jure, Lacey.

Il sourit, soudain ironique.

— Je ne suis même pas certain que j'en aie eu
besoin. Mais lorsque j'ai aperçu les garçons... Mon
cœur s'est mis à battre à tout rompre. Quel choc ! Je
reconnais que je me suis affolé et j'ai avalé une
pilule. Une seule toute petite pilule ! La première en
huit mois.

Il s'avança vers elle, une lueur éloquente dans
l'œil, et Lacey recula, nerveuse.

— Non, Neil !

— Non ? Mais je n'ai rien demandé... encore.

— Ne crois pas que tu me feras changer d'avis en
me faisant les yeux doux et en prenant ta voix de
séducteur, répliqua-t-elle fermement. Je ne suis pas
stupide. Je sais ce que tout acte sexuel demande au

cœur comme énergie. Je ne désire pas te voir subir une nouvelle attaque.

Neil poussa un profond soupir.

— Serais-tu en train d'essayer de me provoquer, Lacey ? Ce n'est pas la première fois que tu sous-entends que notre union n'a été qu'une succession de brefs plaisirs physiques et...

— Je n'ai jamais prétendu cela ! s'écria Lacey.

Neil fit un pas de plus vers elle.

— Ainsi, tu admets enfin que ce n'était pas qu'un « acte sexuel », qu'il y avait plus, déclara-t-il en continuant à s'avancer.

Lacey s'écarta un peu plus. Ce que Neil venait de lui rappeler avait effacé de sa mémoire ses craintes et ses mauvais souvenirs. Elle se passa nerveusement la langue sur les lèvres.

— Je n'ai pas dit cela non plus, Neil ! Cela ne marchera pas avec moi !

Elle se dirigea vers la porte d'un pas ferme.

— Je vais voir ce que deviennent les garçons. Ensuite, je sauterai dans ma voiture et rentrerai chez moi.

Elle s'attendait plus ou moins à ce qu'il essaie de la retenir, mais il n'en fit rien.

— Tout ceci est loin d'être fini, Lacey, lui lança-t-il d'une voix assurée. Compte sur moi, c'est loin, très loin d'être fini !

Elle sortit, la tête droite, d'un pas assuré, mais le cœur empli d'appréhension. Lorsque Neil employait ce ton, c'est qu'il était plus déterminé que jamais.

Mme Moore ne reviendrait que le dimanche, ce qui signifiait que Lacey devait encore supporter deux longs jours pendant lesquels Neil viendrait tôt chez elle et repartirait tard. Lorsqu'il arriva, le vendredi matin, sûr de lui, se conduisant comme le maître des lieux, elle ne put s'empêcher de penser qu'il n'allait pas tarder à apporter ses affaires. Et en fait, il transportait son linge sale qu'il avait l'intention de laver dans sa machine ! Elle ne put s'empêcher de sourire. Neil en lavandière !

A cinq heures, à son retour, elle rit beaucoup moins en s'apercevant qu'il avait également lavé son linge et celui des petits. Comment pouvait-il, après tant d'années, arriver à la surprendre encore ?

Pendant le dîner, Neil fut plaisant, détendu, mais son regard, lorsqu'il croisait celui de Lacey, était porteur d'un message dont elle ne pouvait ignorer la signification. Elle rassembla tout son courage, prête pour la bataille qu'il ne manquerait pas de déclencher dès que les jumeaux seraient au lit.

Elle essaya de le devancer en annonçant qu'elle comptait se coucher très tôt mais cela ne sembla pas le déranger outre mesure.

— Très bonne idée, murmura-t-il en la prenant dans ses bras.

Lacey parvint à se dégager uniquement parce que Neil avait décidé de ne pas employer la force...

— Rentre chez toi, dit-elle, réfugiée à l'autre bout du salon.

Le sourire qu'il lui décocha faillit avoir raison de ses bonnes résolutions, mais elle tint bon.

— Ce ne sera chez moi que lorsque les enfants et toi y vivrez, répondit-il doucement. Un foyer se trouve là où se trouve le cœur, et mon cœur est ici. C'est donc ici qu'est mon foyer.

— Jamais !

— Que tu es belle ! Comme je t'aime ! Et penser que je n'ai pas encore eu l'occasion de te le dire aujourd'hui !

Lacey serra les dents, soupira et compta jusqu'à dix avant de répondre d'un ton qu'elle aurait désiré plus calme.

— Veux-tu avoir l'obligeance de quitter ma maison ?

Dieu que sa voix manquait de conviction ! Neil s'en était-il aperçu ? Cela lui échappait rarement.

Elle se raidit, s'attendant à le voir s'approcher, mais il n'en fit rien, changeant brusquement de tactique.

— Il y a une soirée dansante au Club, demain, annonça-t-il. Allons-y ensemble.

L'invitation était venue si vite que Lacey fut incapable de répondre correctement.

— Je... C'est impossible, balbutia-t-elle.

— Pourquoi ? Tu dois pouvoir trouver facilement quelqu'un pour garder les enfants.

— Il ne s'agit pas de cela.

Comment lui dire ? Elle se jeta soudain à l'eau.

— J'ai déjà promis d'y aller avec Paul, avoua-t-elle.

Les yeux de Neil se fermèrent à demi, menaçants, ses mâchoires se crispèrent.

— Tu tentes trop la chance, Lacey, la prévint-il d'une voix plus calme.

— Mais il m'a invitée il y a plus d'un mois ! Tu n'étais même pas encore revenu.

— Mais maintenant je suis là. Souviens-t'en, Lacey. Je suis ici et compte bien y rester. Je t'ai dit un jour qu'il était inutile de te cacher derrière d'autres hommes, l'avertissement vaut toujours.

Avant qu'elle réagisse, il était déjà sorti. L'instant suivant, elle entendit sa jeep qui s'éloignait.

Lacey éteignit les lumières et monta dans sa chambre. Elle se coucha mais ne trouva le sommeil qu'au bout de plusieurs heures.

Le samedi, Neil se conduisit comme un étranger. Il fut poli mais distant, ajoutant encore à sa confusion. Lorsqu'elle revint à la maison, dans la soirée, il ne traîna pas, et s'en fut aussitôt, lui souhaitant de passer une bonne soirée.

Les enfants confiés à une voisine, Lacey attendit Paul. N'aurait-elle pas dû annuler ce rendez-vous ? Non, elle avait eu raison de le maintenir. D'accord, elle était toujours la femme de Neil, mais était-ce une raison pour le laisser détruire sa vie sociale ? Elle avait parfaitement le droit de sortir avec qui bon lui semblait, Paul ou un autre !

Lorsque Paul la vit, il poussa un petit sifflement émerveillé. Lacey avait choisi une petite robe rouge toute simple mais terriblement provocante qui dénudait ses épaules. La jupe, pour ajouter à son charme, était largement fendue sur un côté et pratiquement transparente. Elle n'avait que peu d'occasions de porter un tel vêtement et fut heureuse de lire dans les yeux de Paul une admiration sincère.

La salle à manger du Club était déjà au trois quarts pleine lorsqu'ils arrivèrent et le maître d'hôtel les conduisit à une table de huit couverts, dans un coin tranquille. Tous les membres du Club se connaissant, il était normal de les asseoir ensemble et Lacey ne s'en formalisa pas. Un couple était déjà installé, les Engel, et Paul et Lacey commencèrent à bavarder avec eux. La soirée s'annonçait bien.

Vingt minutes plus tard, Gary Baker fit son entrée, sa femme Emily au bras. Apercevant Lacey, il se montra soudain nerveux et déclara qu'il ignorait que Paul et elle devaient assister à la soirée.

— Où est Andy ? demanda à Baker Sherry Engel.

La question sembla tellement le surprendre qu'il faillit renverser son verre.

— Oh ! Elle ne va pas tarder, balbutia-t-il en jetant un regard anxieux vers la porte. Son cavalier devait passer la prendre.

Lacey et Paul échangèrent un coup d'œil étonné. Andréa était la fille des Baker. Elle avait vingt ans et était très belle. Blonde, les yeux bleus, de petite taille mais très bien proportionnée. Ses parents l'adoraient et étaient toujours très fiers d'exhiber ses dernières conquêtes. Pourtant, ce soir, Gary paraissait redouter son arrivée. Il ne cessait d'observer l'entrée de la salle. Soudain, il se redressa et avala précipitamment une grande gorgée d'alcool. Lors-

que Lacey se retourna, elle sentit son estomac se
nouer.

Comment avait-il osé !

Neil se tenait tout près d'Andy, beau, très à son
aise, parcourant des yeux la salle. Lorsqu'il aperçut
le petit groupe qui l'observait, un sourire satisfait se
peignit sur son visage. Il prit alors le bras d'Andy et
la guida vers la table d'angle.

Pour Lacey, son arrivée sonnait la fin de la soirée.
A voir le visage embarrassé des Engel, elle devina
que Gary leur avait longuement parlé de ses relations avec Neil. Pour couronner le tout, celui-ci
s'assit près d'elle, la coinçant entre Paul et lui.

Le dîner fut épouvantable. Dès qu'il fut terminé,
les Engel et les Baker se précipitèrent sur la piste de
danse à une vitesse qui eût été hilarante si Lacey
n'avait été si en colère. Paul, plein de tact, invita
Andy à danser et s'éloigna aussi vite qu'il le put,
laissant Lacey et Neil en tête à tête.

— Tu pourrais être son père, commenta aussitôt
Lacey d'une voix sifflante. Mon Dieu, ce que les
gens pensent t'indiffère donc à ce point ?

Neil passa un bras paresseux autour du dossier de
sa chaise, la manche de sa veste frôlant la peau nue
de ses épaules. Il se tenait si près qu'elle pouvait
sentir l'odeur épicée de son after-shave. Ses yeux
riaient et il effleura son coude du bout des doigts.

— Je me suis toujours désintéressé de l'opinion
des autres, pourquoi changerais-je aujourd'hui ?
D'ailleurs, je pourrais également être ton père.

— Ne sois pas ridicule ! Je ne t'ai jamais considéré
comme tel et tu le sais.

En le voyant sourire, Lacey se mordit les lèvres.
Elle aurait dû formuler sa phrase autrement.

— Je dois admettre que je ne t'ai jamais considé-
rée comme ma fille, murmura-t-il d'une voix rauque
qui lui donna la chair de poule. Dès que j'ai jeté les

yeux sur toi, je ne t'ai plus imaginée que comme mon amante, ajouta-t-il tout près de son oreille.

Cet aveu coupa le souffle à Lacey. Son cœur se mit à battre la chamade.

— Dans mon lit, reprit Neil d'une voix sourde. Sous mon corps !

Lacey battit furieusement des paupières et ne parvint que péniblement à retrouver une respiration normale.

— Neil ! le supplia-t-elle faiblement en essayant de s'assurer que leurs voisins de table n'avaient pas entendu.

Il ignora avec superbe sa supplique.

— Nue. Tiède et consentante, poursuivit-il de plus belle. Douce autant que je serais dur. Bras et jambes m'enveloppant comme si tu ne voulais plus que je m'en aille.

— Oh, Neil !

Ce fut plus une plainte qu'une protestation, un léger cri tremblant. Elle tendit la main, comme si elle désirait repousser les pensées qui l'assaillaient, et Neil s'en empara, la serrant dans ses doigts chauds.

— Viens, dit-il simplement.

Il se leva et l'entraîna sur la piste de danse.

Lacey était incapable de réagir. Si Neil continuait à lui faire du charme, elle ne tarderait pas à perdre tout à fait la tête. Lorsqu'il la plaqua contre lui, la tiédeur de son corps compléta l'effet produit par ses paroles et elle abdiqua toute retenue, se laissant guider, se balançant lentement au rythme romantique de la musique.

Soudain, Lacey réalisa qu'ils se dirigeaient lentement mais sûrement vers les baies vitrées qui donnaient sur le jardin. Elle tenta de protester sans succès. Aucun son ne franchit sa gorge. Lorsqu'ils se retrouvèrent à l'extérieur, elle ne parvint pas plus à l'empêcher de l'entraîner derrière un angle du bâtiment.

— Mais il n'y a pas de lumière, balbutia-t-elle.

Quelle idiote !

Sans la lâcher, la tenant toujours fermement dans ses bras, Neil l'adossa au mur de briques.

— Je t'ai déjà aimée dans l'obscurité. Tu te souviens ?

Il ne lui laissa pas le temps de répondre et s'empara de sa bouche avec avidité, dévorant la sienne, l'explorant, l'embrasant.

— Te souviens-tu, Lacey ? répéta-t-il en faisant courir ses lèvres jusqu'à son oreille. Te souviens-tu de nos bouches, de ce qu'elles faisaient ? Tu savais alors me rendre fou et je veux l'être encore. Quant à moi...

Il n'alla pas plus loin, lui mordillant l'oreille à la rendre folle.

Lacey remuait la tête de droite à gauche, essayant de ne pas l'écouter, de résister aux effets qu'avaient ses caresses sur ses sens trop longtemps sevrés.

— Non, Neil ! Pense à ton cœur !

Il lui prit la main et la posa sur son torse.

— Ce cœur te semble-t-il faible et malade, chérie ? C'est si je ne te possède pas que je tomberai vraiment malade. Il a bien failli s'arrêter mille fois depuis que je t'ai revue. Chaque fois que j'étais près de toi !

Lacey leva lentement la tête. Il n'y avait plus de doute ni de peur dans ses yeux, comme si la passion qui couvait dans les siens avait réussi à chasser toute retenue. Leurs deux cœurs battaient maintenant à l'unisson.

— Où sont les garçons ? lui demanda-t-il en l'embrassant légèrement au coin des lèvres.

— Chez les Crawford. Jusqu'à minuit, répondit-elle dans un soupir en enfouissant ses doigts dans sa chevelure épaisse.

Neil consulta sa montre.

— Il est à peine neuf heures. Cela nous donne trois bonnes heures. Je me demande de quelle façon et combien de fois je peux te satisfaire en trois heures.

Lacey ferma les yeux et laissa aller sa tête en arrière, contre les briques. S'il ne l'avait retenue, elle aurait glissé à terre comme une poupée de son.

— Tu ne peux abandonner ainsi Andy, protesta-t-elle faiblement.

Elle le sentit sourire plus qu'elle ne le vit.

— Elle ne désirait que se trouver seule avec ton ami Paul. Je remarque que tu ne t'inquiètes guère de lui.

Devant l'air embarrassé de Lacey, il éclata de rire.

— Elle est folle de lui mais il croit qu'il est trop âgé pour elle. Elle espérait que s'il l'apercevait avec un vieillard de mon espèce il réagirait peut-être et changerait d'avis. Je ne pense pas que nous leur manquions beaucoup.

Il l'embrassa soudain et ses mains caressèrent ses seins en tremblant.

— Allons, viens. Nous perdons un temps précieux.

Lorsqu'ils remontèrent l'allée, Neil se tourna vers elle et effleura doucement sa mâchoire du bout des doigts.

— Inquiète ?

Lacey acquiesça.

— Je ne peux m'en empêcher. Il se passe tant de choses dans ma tête !

Il stoppa la voiture et la prit dans ses bras.

— Dans quelques instants, tu oublieras tout... lui promit-il.

CHAPITRE DIX

NEIL lui prit la clef des mains, ouvrit la porte et n'alluma que l'entrée. Juste assez pour qu'ils trouvent leur chemin vers l'escalier et l'étage. C'était un peu comme s'il avait su que Lacey avait besoin d'obscurité, ou au moins de clair obscur.

Leur immense désir s'était un peu calmé durant le trajet, mais maintenant, dans le silence de la maison vide, il reprenait rapidement vie, à un point tel que l'air lui-même semblait battre à l'unisson de leurs cœurs. Lacey retira ses boucles d'oreille, le seul bijou qu'elle portait. Ses doigts étaient raides et maladroits. Derrière elle, Neil se déplaçait silencieusement, ne trahissant sa présence dans l'ombre que par le bruissement des vêtements qu'il retirait. Alors qu'elle se trouvait devant le miroir, il vint la rejoindre. Il ne portait plus de veste et sa chemise de soie luisait doucement dans la pénombre, lui donnant un aspect fantomatique qui le faisait paraître tout à fait irréel, visiteur d'un autre monde qui pouvait se volatiliser à tout instant.

Il posa les mains sur les épaules de la jeune femme et cette illusion fut détruite.

Lentement, très lentement, ses paumes caressèrent sa peau, l'effleurant à peine, y faisant naître un

frisson délicieux. Dans la glace, leurs regards se
croisèrent. Le sourire doux et tendre qu'elle vit sur
son visage lui coupa le souffle. Lacey entendit son
cœur battre dans sa poitrine, vite, fort. Elle reconnut
des symptômes qu'elle croyait avoir oubliés depuis
longtemps. Une envie irrésistible, animale, pri-
maire ! A cet instant, elle désira tant Neil qu'elle en
eut mal. C'était si loin, si loin ! Elle avait besoin de
lui, de ses mains, de sa bouche, de chaque pouce de
sa peau. S'en rendait-il compte ? Sentait-il la tempête qui couvait dans sa chair ?

— Comme tu es tendue !

Neil entreprit de lui masser doucement la nuque et
les épaules.

— S'agit-il de tes nerfs ou as-tu une autre raison ?

Lacey tenta de parler mais dut s'y reprendre à
plusieurs fois. Sa gorge était sèche comme du
parchemin.

— Autre chose, parvint-elle enfin à articuler.

Neil soupira et elle réalisa soudain que lui aussi
était terriblement ému. Curieusement cela l'aida.
Elle sentit son corps se détendre, son souffle redevenir normal ; sa tête partit lentement en arrière pour
se reposer sur le torse de Neil. Elle ferma les yeux.
Les lèvres de Neil effleurèrent sa peau, l'embrasant.

Comme c'était étrange. Tous deux semblaient
craindre maintenant ce qui n'allait pourtant pas
manquer d'arriver. Pourquoi ? C'était bien ce qu'ils
voulaient, non ? Ce qu'ils désiraient plus que tout.
Puis elle comprit. Neil essayait délibérément de la
mettre à l'aise, croyant sans doute qu'elle était
nerveuse ou avait peur. Peut-être était-il aussi un
peu nerveux lui-même ? La pensée qu'il soit également intimidé l'amusa et lui plut, faisant disparaître
la dernière trace de tension en elle, la libérant
complètement.

Les mains de Neil glissèrent lentement vers le haut
du bustier élastique de sa robe. Doucement, elles

firent glisser le fin tissu jusqu'à la taille. Lacey,
immobile, les vit qui remontaient lentement pour
emprisonner avec délicatesse ses seins ronds et doux
qui se durcirent à ce contact tant attendu.

Sans lever les yeux, elle sut que ceux de Neil
étaient fixés sur son image, dans la glace, et elle fut
heureuse de savoir son corps agréable au regard,
ferme et mince. Une immense fierté s'empara de
tout son être. Ce que Neil contemplait était son
bien, et pas un homme ne l'avait jamais admiré ou
touché. Lui seul l'avait possédée, et seul il la
possèderait encore.

Elle laissa la tête aller sur sa poitrine, yeux mi-
clos, un léger sourire aux lèvres, murmurant son
nom tout bas, doucement, comme une litanie.

— Tu es la perfection! chuchota Neil.

Il se mit brusquement à trembler et Lacey sut
alors que malgré toute sa volonté, son désir de se
contrôler, il avait autant envie d'elle qu'elle de lui.
Pourtant, il continua à se retenir, témoignant d'une
patience dont elle l'aurait cru incapable. En même
temps ses mains et ses lèvres se faisaient plus
pressantes, invite muette et délicieuse à aller plus
loin. Beaucoup plus loin!

Comme s'il avait deviné son désir, Neil détacha à
regret les mains de ses seins et entreprit de retirer
complètement sa robe, faisant glisser le long de ses
jambes, par la même occasion, le slip minuscule
qu'elle portait. Le vêtement tomba comme une
corolle autour de ses chevilles en bruissant légèrement et Lacey se retrouva nue dans ses bras,
appuyée, plaquée, sur son torse dur.

Les bras de Neil l'entourèrent alors, assurant son
équilibre pendant qu'elle retirait ses chaussures, la
serrant un peu plus qu'il était nécessaire. Son souffle
tiède sur sa peau fut comme une flamme qui
parcourut tout son corps. Lorsque ses mains se
déplacèrent et vinrent couvrir son ventre, Lacey crut

qu'elle allait se mettre à hurler. Neil n'avait rien oublié. Il connaissait toujours ses points sensibles. Cherchait-il à la rendre folle ?

— Désire-moi, Lacey, ordonna-t-il soudain en la plaquant plus fort encore contre lui, ses mains accentuant leurs caresses. Désire-moi tant que tu ne pourras plus penser à autre chose, passé ou futur, mais à l'instant présent et à ce que je peux te donner.

Lacey poussa un léger gémissement. Elle parvint à se retourner dans ses bras, bien qu'il la serrât de toutes ses forces, et se colla contre lui, ventre contre ventre, bouche à bouche.

Elle l'entendit gronder à son tour, sentit tout son corps se tendre. Ce fut brusquement comme si elle venait de mettre le feu à un brasier trop sec. Lorsqu'il se mit à trembler, elle sourit de joie, visage enfoui au creux de son épaule. Comme il la désirait !

— Lacey, protesta-t-il faiblement, il ne faut pas ! Ce n'est pas comme ça... Tout va si vite. Laisse-moi...

— Non !

Elle se colla plus fort encore contre lui, l'agrippant avec un désespoir sauvage.

— Prends-moi, Neil ! Maintenant ! Je veux être à toi. Possède-moi !

— Lacey, murmura-t-il d'une voix tremblante.

Il la repoussa légèrement et passa une main sous son menton, la forçant à croiser son regard cuivre.

— Ma merveille ! Ma belle et parfaite merveille ! Penses-tu réellement ce que tu dis ? Oh, Lacey !

Il répéta plusieurs fois son nom, entrecoupant sa litanie de baisers brûlants. Ils restèrent longtemps enlacés, jusqu'à ce qu'un certain calme les envahisse, que la raison reprenne le dessus. Temps de pause très court et précurseur d'un futur tumultueux.

— Déshabille-moi, dit alors Neil d'une voix mal assurée.

Devant l'immensité de son désir et le désarroi qu'elle lisait dans son regard, Lacey ne put s'empêcher de sourire. Lentement, très lentement, elle commença à déboutonner sa chemise, prenant tout son temps pour mieux prolonger l'agonie.

— Ces vêtements te vont si bien, c'est une honte de devoir les retirer, souffla-t-elle, moqueuse. Dis-moi, as-tu mis cette chemise de soie en mon honneur, ce soir ?

— Et toi, portais-tu ce petit chiffon rouge avec moi en tête ?

Lacey se mit à rire.

— Je ne savais même pas que tu serais là.

— Est-ce bien sûr ? Tu me connais pourtant et sais que je ne laisserai jamais un autre m'approcher de ce qui m'appartient. Je suis persuadé que tu as pensé à moi en choisissant cette robe, avec au fond du cœur l'espoir que je te l'enlèverais avant que la nuit s'achève.

— C'est possible, répondit-elle en lançant la belle chemise au loin et en s'attaquant à la boucle de sa ceinture. Pour l'instant, je ne pense qu'à ce que je suis en train de faire.

La ceinture lui résistant, elle s'énerva brusquement.

— Neil, ne reste pas là à me regarder ! Cette boucle stupide...

Il la prit soudain dans ses bras, la souleva et traversa la chambre à grands pas. La déposant sur le lit, il se déshabilla en un tournemain et s'abattit sur elle, un sourire de fauve au coin des lèvres.

— As-tu peur ?

— Oui ! J'ai peur de perdre la tête si tu ne te décides pas ! Neil, prends-moi, s'il te plaît !

Neil ne bougea pas, hésitant, troublé.

— Lacey, il y a huit ans.

— Je sais, je sais ! Neil, tu me rends folle !

— Mais je ne veux pas te blesser...

— Cela ne fait rien !

Ses mains l'agrippèrent aux épaules et elle tenta de l'attirer vers elle, rendue furieuse par son hésitation, frustrée.

— Je ne peux pas attendre plus longtemps, Neil, le supplia-t-elle.

Il la pénétra d'un coup, brusquement, et tous deux restèrent un instant immobiles, ne faisant plus qu'un.

— Lacey !

— Neil ! Je ne savais pas que tu m'avais manqué à ce point.

— Oh, Lacey !

Comme elle ne répondait pas, yeux mi-clos, il s'inquiéta soudain.

— Tu vas bien ?

— Mieux, beaucoup mieux.

Son visage se fendit d'un large sourire.

— Ta tâche n'est pas terminée, chéri. Aime-moi. Je t'en prie, Neil, aime-moi ! Maintenant !

Ce fut parfait. Un long envol dans un autre monde où rien n'existait que le plaisir que chacun donnait et recevait. Ils finirent cependant par s'écrouler, hors d'haleine, membres emmêlés, peau contre peau. Lacey éclata alors en sanglots.

— Ma chérie, qu'y a-t-il ? demanda Neil entre deux baisers.

Il y avait tant d'anxiété dans son regard qu'elle redoubla de pleurs, répondant à ses baisers par d'autres tout aussi mouillés.

— Je t'aime tant ! Oh, Neil, si tu savais combien je t'aime !

Il la prit dans ses bras comme on prend un enfant que l'on désire consoler.

— Dans ce cas, pourquoi pleurer ?

Sa voix était légèrement moqueuse, mais avec une trace de suspicion. Il enfouit brusquement son visage contre son cou et soupira.

— J'avais si peur de ne plus jamais entendre ces mots ! s'écria-t-il.

— Oh, Neil, je suis désolée. Vraiment navrée. Quand je pense à tout ce que nous avons perdu, à tout ce que tu as perdu ! Les garçons... les regarder grandir, les élever... Je t'ai trompé, les ai trompés, me suis trompée. Comme tu dois me haïr !

— Te haïr ? Mais tu es folle !

Il éclata soudain d'un rire joyeux.

— Comment pourrais-je te haïr alors que je t'aime plus que tout au monde ? Si l'un d'entre nous a le droit de haïr l'autre, c'est bien toi. Après tout, je...

Lacey lui ferma la bouche d'un tendre baiser, le forçant à se taire. Elle ne pleurait plus et son sourire indiquait qu'elle était follement heureuse.

— Peux-tu réellement me pardonner ? lui demanda Neil, soudain sérieux.

— Bien sûr ! Mais je ne le ferai que si tu me pardonnes à ton tour pour les années que tu as perdues à cause de moi.

Neil secoua la tête, sans sourire.

— Elles ne comptent pas. Plus rien ne compte que le fait que nous soyons de nouveau ensemble. Je ne pourrais supporter de te perdre encore, pas après ce soir.

Sa voix grave tremblait et cela amena de nouvelles larmes dans les yeux de Lacey.

— Non, pas après ce soir, répéta-t-elle.

Son visage s'éclaira soudain et elle se mit à rire.

— Il me semble, monsieur Hartmann, que vous m'aviez fait une promesse, ou plutôt que vous m'aviez lancé un défi. Je vous signale qu'une heure s'est déjà écoulée et que si vous ne vous dépêchez pas, nous ne saurons jamais combien de fois...

Elle ne put terminer sa phrase car il se mit immédiatement en devoir de lui prouver qu'il ne s'était pas vanté. Plus tard, il se leva et, comme elle protestait, il se pencha vers elle pour lui dire qu'il allait chercher les enfants. Leurs enfants! Lorsqu'il revint, elle dormait et il la réveilla d'un baiser. Lacey se blottit contre lui et s'endormit dans ses bras.

Ils se réveillèrent à l'aube et se sourirent, heureux.

— Je vous aime, monsieur Hartmann.

— Moi aussi, madame Hartmann. Vous et nos deux petits diables. Sais-tu que j'ai encore du mal à réaliser qu'ils sont à moi? Mes fils!

— Puisque tu sembles avoir la fibre paternelle si développée, que dirais-tu d'une autre paire de jumeaux?

Neil la regarda, abasourdi.

— Tu plaisantes? demanda-t-il d'une voix incertaine.

— Je n'ai jamais été aussi sérieuse de ma vie. Alors, qu'en dis-tu?

Il se mit à rire.

— Mais j'ai quarante-cinq ans, Lacey. J'en aurai plus de soixante lorsqu'elles iront au lycée.

— Elles?

— Eh bien, si nous devons recommencer, j'aimerais autant que ce soient des filles, cette fois.

— Oh, Neil! Des petites sœurs pour nos garçons! Ils seraient ravis.

— Pas plus que moi. Et puis, au début, tu seras obligée de rester à la maison.

Lacey sourit, mais il y avait une certaine inquiétude dans son regard.

— Je pourrai toujours les prendre au bureau avec moi. C'est ce que j'ai fait avec les garçons.

Les yeux de Neil s'assombrirent.

— Mais ce ne sera pas nécessaire cette fois-ci. Tu as maintenant un mari riche qui ne demande qu'à te gâter, ma chérie. N'as-tu pas amplement prouvé ce dont tu étais capable? Ne puis-je enfin m'occuper de vous?

Lacey secoua la tête, désolée.

— Essaye de me comprendre, Neil. Je ne veux pas perdre mon identité, ne plus être que la femme de Neil ou la mère de Todd et Scott. Il m'a fallu huit longues années de lutte pour devenir quelqu'un. Ne me demande pas d'abandonner ce pour quoi j'ai tant travaillé.

— J'ai bien abandonné toutes mes sociétés !

— Comme tu es injuste ! Tu avais décidé de tout quitter bien avant de revenir ici et de me revoir, aussi ne prétends surtout pas t'être sacrifié pour moi !

Neil se laissa aller sur le dos, peu convaincu.

— Tu discutes même comme un homme ! s'écriat-il d'un air dégoûté. Mais je ne veux pas te partager avec des étrangers, moi !

— Des millions de femmes pensent de même mais n'ont pas voix au chapitre, répondit Lacey en souriant.

Puis, redevenant sérieuse :

— Cela t'ennuie donc tant de t'occuper de notre foyer ?

— Mais pas du tout ! Je ne me suis jamais autant amusé de ma vie. Mais j'aimerais mieux que tu t'en occupes avec moi.

— C'est ce que je ferai lorsque j'aurai travaillé aussi longtemps que toi.

— Je serai alors dans un asile de vieillards !

Il la fixa droit dans les yeux.

— Ne peux-tu accéder à ma prière ?

— Non, Neil, je suis désolée.

Il la tira à lui, pensif.

— Dans ce cas, nous pourrions essayer un compromis. Promets au moins de rester à la maison pendant ta grossesse. Nick s'occupera de tes affaires. Il ne peut quand même pas te mettre en faillite en si peu de mois !

— Et que feras-tu pendant ce temps ?

— J'apprendrai à changer les couches, à préparer les biberons. Je tiendrai tes repas au chaud en attendant ton retour.

Lacey lui passa la main dans les cheveux.

— Cela t'ennuiera beaucoup?

Neil éclata soudain de rire.

— M'ennuyer? Mais tu es folle! Ce sera le paradis comparé à ce que j'ai connu dans ma vie.

— Oh! Ainsi tu étais d'accord avec moi depuis le début!

— Je désirais savoir jusqu'à quel point tu étais prête à défendre ton point de vue, Lacey. Si tu savais comme je suis fier de toi! Je ne t'échangerais pas pour la timide enfant que tu étais, il y a huit ans, pour rien au monde!

Ses yeux se firent très doux et Lacey se sentit fondre.

— Je t'aime, Neil.

— Prouve-le, murmura-t-il à son oreille.

Avant que leurs corps ne s'unissent à nouveau, Lacey comprit que le passé venait de mourir. Ensemble, ils allaient bâtir une nouvelle vie, se créer de nouveaux souvenirs. Ses lèvres s'arrondirent en un sourire joyeux et elle se promit qu'il serait le premier d'une longue suite.

Achevé d'imprimer en juillet 1984
sur les presses de l'Imprimerie Bussière
à Saint-Amand (Cher)

— N° d'imprimeur : 1409. —
— N° d'éditeur : 294. —
Dépôt légal : août 1984.

Imprimé en France